税理士受験シリーズ

財務諸表論

完全無欠の総まとめ

はじめに

本書は、税理士試験の必修科目の一つである「財務諸表論」について、学習上、車の両輪のような関係にある「理論」と「計算」に二分して、項目（テーマ）別にコンパクトにまとめたものです。

しかし、単に税理士試験の対策として必要な要点を簡略化してまとめたものではありません。基礎知識が未習熟な人でも、学習の手助けとなるように、基礎となるポイントを確実に押さえた内容となっています。

「財務諸表論」に初めて挑戦する人は、どのように勉強を進めていけばよいか五里霧中の状態になりがちですが、本書は、各項目の最初に「学習のポイント」を表示するなど、初めて学ぶ人でも学習が効率よく進められるように、さまざまな工夫を凝らしてあります。ですから、これから勉強を始めようと考えている人でも十分に使いこなすことができます。

すでにひととおり学習をした人は、「攻略のコツ」や「まとめ」で、知識に欠落がないかを確かめることができます。また、復習や試験前の総まとめの際にも最適なパートナーとなってくれるでしょう。

本書は、税理士試験で毎年抜群の実績を残しているＴＡＣで使用している基本テキストをベースにまとめたものですから、税理士試験に限らず、会計学を受験科目とする、簿記検定１級、不動産鑑定士、国税専門官など各種試験に対応した知識を習得することもできます。

税理士試験に限らず、試験勉強は、何度も繰り返し学習することで習熟度を増すことができるものです。「本書の特長と使い方」を参考に、自己の習熟度を確かめながら、受験勉強を進めていってください。

本書が、税理士試験などを受験する人の、力強い味方になれば幸いです。

ＴＡＣ税理士講座

本書の特長と使い方

① 本書は、「財務諸表論」を**「理論編」と「計算編」に分けた2部構成**になっています。「理論」と「計算」は学習上不可分であり、「理論」と「計算」を同時に学習したほうが学習効率もよいとの考えから、相互に関連づけて学習できるように項目をまとめました。

② 各項目は税理士試験の**重要度に応じて、「A☆☆☆」「B☆☆」「C☆」の3段階で明示**しています。そのため、出題頻度の高い項目から取り組むなど、自己のスケジュールに合わせて学習することができます。

③ 各項目の最初に、効率のよい学習ができるように、**「学習のポイント」**として要点を提示しています。

④ 重要な事柄を、文章の中で理解したほうがよいものは文章に、図表の中で視覚的に理解したほうがよいものは図表にまとめてあります。

⑤ 各項目に関連する、覚えておきたい重要な語句は**「重要語句解説」**にまとめてあります。

⑥ 各項目の要点を再確認できるように、**「まとめ」**にコンパクトに集約してあります。そのため、学習を進めるなかで要点を確認したい場合、一目でチェックすることができます。

⑦ 重要項目の理解と暗記には、繰り返し学習することが大切です。そこで、自己の学習がどの程度進んでいるかを確認できるように、各項目の最初のページに

「学習度チェック」を付けました。

⑧　巻末には、チェックしたい項目が簡単に引き出せるように**「索引」**が付いています。この索引によって、「理論編」と「計算編」の両者を関連づけながら学習することができます。

⑨　「計算編」には、外出先でも学習できるように、簡単な設例によって、仕訳や公式の内容を解説してあります。

（本書は令和６年９月現在の施行法令に準拠しています。）

目　次

☆☆☆：重要度A
☆☆：重要度B
☆：重要度C

〔理論編〕

〔計算編〕

理論編

完全無欠の総まとめ

財務諸表論

はじめに

会計とは

会計とは、「情報を提供された者が適切な判断と意思決定ができるように、経済主体の経済活動を記録・測定して伝達する手続」をいい、その対象とする経済単位を何におくか、あるいは、経済活動の内容とその結果を誰のために明らかにするのかの違いにより、様々な会計分野がある。

会計の種類

① **企業会計**

企業会計とは、企業の経済活動の内容とその結果を、記録・測定・伝達する手続をいう。

② **財務会計**

財務会計とは、企業の経済活動の内容とその結果を、企業の外部利害関係者に報告するための会計をいう。

③ **制度会計**

制度会計とは、一定の法律や規則の規制のもとに行われる会計をいい、代表的なものとして、会社法に基づく会社法会計と金融商品取引法に基づく金融商品取引法会計がある。

財務諸表と財務諸表論

財務諸表論は、会計学の一分野である。会計学とは、①簿記論、②財務諸表論、③原価計算論、④監査論の総称をいう。

財務諸表論は、大規模な株式会社（企業）を対象としている。企業は、出資者（投資者）を募ったり、銀行などの金融機関（債権者、なお、先の投資者と合わせて「利害関係者」という）から借り入れて、必要な資金を調達し、その資金を元手として利益を獲得していく。しかし、原理的には、企業経営を利害関係者が行うことはない。株式会社における経営は、実質的な所有者である株主から委託された経営者（取締役）が行うからである。

その場合、利害関係者は提供した資金がどのように使われ、どのような結果を生み出しているかを知る手だてをもたない。それを知る手段として用いられるのが財務諸表である。

財務諸表論とは、定期的な企業の報告手段である財務諸表が作成されるまでの各段階の考え方を研究して、そこから一定の約束事を作り上げることをねらいとする学問である。

財務諸表論の二面性

財務諸表論のあるべき姿を会計理論という。しかし、会計理論はときとして現実的には企業に適合しない場合がある。そこで、その時々の状況に応じて無理のない約束事を定めて財務諸表の作成を円滑なものにすることが不可欠となる。これらの約束事に実効力をもたせるために制定された法律や規則に裏づけられた現実の姿を、会計制度（または制度会計）という。

理論の学習内容

理論の出題は「会計理論」を中心に行われる。しかし、「会計理論」はあくまでも理想であり、現実の法規制に基づく会計（「制度会計」という）との間にはギャップが生じている場合もある。よって、このギャップを学ぶことも理論における大切な論点となる。

したがって、理論の学習では「会計理論」を中心に、一部「会計法規」（企業が財務諸表を作成する際に従わなければならない一定の法律や規則）の内容も学習していくこととなる。また、「会計理論」と「制度会計」の折衷的性格をもつものとして「一般に公正妥当と認められる企業会計の基準」があり、代表的なものとして、企業会計原則や金融商品に関する会計基準がある。これらの規定内容を理解することも理論における大切な学習内容となる。

計算の学習内容

計算の出題は、現実の企業を想定した財務諸表の作成手続に関する法律や規則（会計法規）の学習が中心となる。その中でも、特に「会社法」および「会社計算規則」の規定に準拠した財務諸表の作成問題を中心に出題されている。そのため、財務諸表の計算においては、「会社法」および「会社計算規則」といった法律や規則に定める種々の約束事の正しい理解と、それに基づく作成技術が必要とされる。

ただし、「会社法」および「会社計算規則」の規定のみですべてを行うことができるわけではない。したがって、大規模な株式会社については、他の会計法規の規定を類推適用していくことになり、これらの学習もあわせて行うことが必要になる。

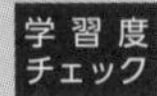

学習度チェック

1　財務諸表論の全体構造Ⅰ

重要度C ★

●学習のポイント●

①　財務会計の意義
②　財務会計の機能

財務会計の意義

財務会計とは、企業の経済活動の内容とその結果を、企業の外部利害関係者に報告するための会計をいう。

財務会計の機能

①　説明責任履行機能

説明責任履行機能とは、株主（委託者）から拠出された資本（受託資本）に対する管理・運用の責任、すなわち受託責任を明らかにする機能をいう。

②　利害調整機能

利害調整機能とは、資産・負債・純資産の額、収益・費用・利益の額、分配可能額などの決定を通して、利害関係者の利害を調整する機能をいう。

③　情報提供機能

情報提供機能とは、利害関係者がそれぞれの利害に基づいて、将来の行動に関する意思決定を行う上で有用な情報を提供する機能をいう。

ま　と　め

①　財務会計の意義
　→外部利害関係者に報告するための会計
②　財務会計の機能
　1）説明責任履行機能→受託責任を明らかにする機能
　2）利害調整機能→利害関係者の利害を調整する機能
　3）情報提供機能→意思決定を行う上で有用な情報を提供する機能

MEMO

学習度チェック

2　静態論・動態論

重要度C
★

●学習のポイント●

静態論と動態論の特徴

静態論の特徴

①　**会計の目的・計算の重点**

静態論のもとでは、債権者保護のための企業の債務弁済力の算定・表示が会計の目的とされる。そのため、企業の財産計算が計算の重点とされる。

②　**利益の計算**

静態論のもとでは、財産法により利益が計算される。

財産法とは、期首の純財産（正味財産）と期末の純財産（正味財産）との差額として利益を計算する方法である。

動態論の特徴

①　**会計の目的・計算の重点**

動態論のもとでは、投資者保護のための企業の収益力の算定・表示が会計の目的とされる。そのため、企業の損益計算が計算の重点とされる。

②　**利益の計算**

動態論のもとでは、損益法により利益が計算される。

損益法とは、複式簿記により企業資本運動を描写し、これに基づいて収益と費用を把握し、その差額として利益を計算する方法である。

まとめ

① 静態論の特徴

1）会計目的・計算の重点→債権者保護→債務弁済力の算定・表示→財産計算

2）利益の計算方法→財産法

② 動態論の特徴

1）会計目的・計算の重点→投資者保護→収益力の算定・表示→損益計算

2）利益の計算方法→損益法

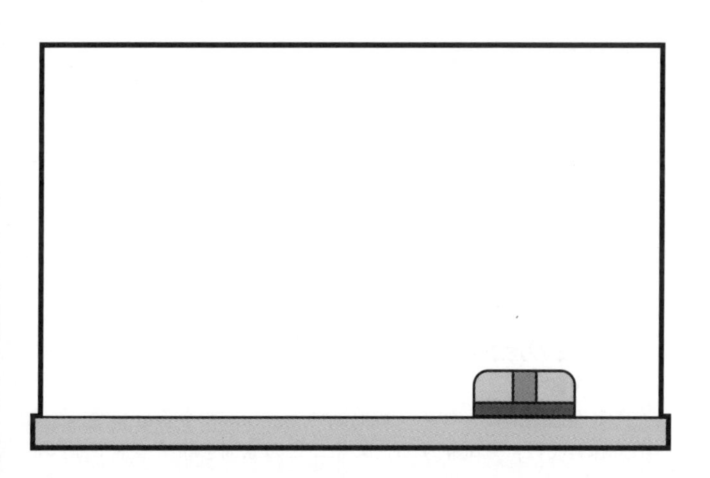

学習度チェック

3　会計公準・会計原則

重要度C ★

●学習のポイント●

①　会計公準の内容を把握する
②　企業会計原則の設定目的や特徴を理解する
③　真実性の原則について、いかにすれば真実な報告を行えるかを理解する
④　正規の簿記の原則について、その要請内容、正確な会計帳簿の要件を把握する
⑤　資本・利益区別の原則について、資本と利益をそれぞれどうとらえるか明確にする
⑥　明瞭性の原則について、その要請内容を理解する
⑦　継続性の原則について、その要請内容と必要性および継続性の変更を理解する
⑧　保守主義の原則について、その要請内容を理解する
⑨　単一性の原則について、その要請内容を理解する
⑩　重要性の原則について、その容認内容、重要性の判断基準、適用例を理解する

会計公準の意義

会計公準とは、企業会計が行われるための基本的前提をいう。

会計公準の内容

1）企業実体の公準…企業実体の公準とは、企業を会計単位とするという前提である。
2）継続企業の公準…継続企業の公準とは、企業が解散や倒産を前提とせず、半永久的に継続するという前提である。
3）貨幣的評価の公準…貨幣的評価の公準とは、会計行為、すなわち、記録・測定および伝達のすべてが、貨幣額によって行われるという前提である。

真実性の原則

①　**要請内容**

真実性の原則は、他の一般原則の上位に位置する最高規範であり、真実な報告を提供するために、この原則を除く、他のすべて

の条項を遵守することを要請している。

② **真実の意味**

真実性の原則における真実とは、絶対的真実性ではなく、相対的真実性を意味する。

なぜなら、今日の財務諸表は、「記録された事実と会計上の慣習と個人的判断の総合的表現」であるためである。

正規の簿記の原則

① **要請内容**

正規の簿記の原則は、適正な会計処理および正確な会計帳簿の作成と誘導法による財務諸表の作成を要請している。

② **正確な会計帳簿の要件**

正確な会計帳簿とは、網羅性と検証性と秩序性の３つの要件を満たす会計帳簿をいう。

資本・利益区別の原則

① **要請内容**

資本・利益区別の原則には、資本取引・損益取引区別の原則と資本剰余金・利益剰余金区別の原則がある。

1）資本取引・損益取引区別の原則→期首の自己資本そのものの増減と、自己資本の利用による増減とを明確に区別することを要請している。

2）資本剰余金・利益剰余金区別の原則→期末自己資本内部において、資本取引から生じた資本剰余金と、損益取引から生じた利益剰余金とを明確に区別することを要請している。

② **必要性**

1）資本取引・損益取引区別の原則→適正な期間損益計算を行うためには、資本の増減と損益の増減とを明確に区別することが必要となるのである。

2）資本剰余金・利益剰余金区別の原則→企業の財政状態および経営成績の適正な開示を行うためには、維持拘束性を特質とする資本剰余金と処分可能性を特質とする利益剰余金を厳密に区別することが必要となるのである。

③ **資本取引と損益取引**

1）資本取引

資本取引とは資本の増加、減少を生じさせる取引をいう。

2）損益取引

損益取引とは、資本を利用することにより、収益・費用を生じさせる取引をいう。

明瞭性の原則

① 要請内容

明瞭性の原則は、財務諸表による会計情報の適正開示と明瞭表示を要請している。

② 適正開示と明瞭表示の具体例

1）重要な会計方針を開示する。
2）重要な後発事象を開示する。
3）区分表示の原則に従う。
4）総額主義の原則に従う。
5）科目の設定にあたって概観性を考慮する。
6）重要事項を注記によって補足する。
7）重要項目には附属明細表を作成する。

③ 重要な後発事象

1）意　義

重要な後発事象とは、貸借対照表日後に発生した事象で、財務諸表提出会社の翌事業年度以降の財政状態、経営成績およびキャッシュ・フローの状況に重要な影響を及ぼすものをいう。

2）重要な後発事象の開示

重要な後発事象が発生したときは、当該事象を注記しなければならない。

3）重要な後発事象の開示理由

重要な後発事象を注記事項として開示することは、当該企業の将来の財政状態、経営成績およびキャッシュ・フローの状況を理解するための補足情報として有用であるためである。

継続性の原則

① 要請内容

継続性の原則は、１つの会計事実について、２つ以上の会計処理の原則または手続の選択適用が認められている場合に、企業がいったん採用した会計処理の原則および手続を毎期継続して適用することを要請している。

② 必要性

継続性の原則は、経営者の利益操作を排除し、財務諸表の期間比較性を確保するために必要となる。

③ 継続性の変更

継続性の変更は、「正当な理由」がある場合に認められる。ここに「正当な理由」とは、会計処理を変更することによって、企業会計がより合理的なものになる場合を意味する。

④　**継続性の前提の必要性**

一つの会計事実について一つの会計処理の原則又は手続だけを定め、これをすべての企業に強制することは、それが合理性をもたない企業において、財務諸表の相対的真実性が保証されないことになる。

保守主義の原則

①　**要請内容**

保守主義の原則は、ある会計処理を行うにあたって、幾通りもの判断ができる場合には、予測される将来の危険に備えて慎重な判断に基づく会計処理を行うことを要請している。

②　**真実性の原則との関係**

保守主義の原則は、一般に公正妥当と認められた会計処理の原則および手続の枠内で適用されている限り、真実性の原則に反するものではない。

しかし、過度の保守主義は、期間損益計算を不適正にさせる結果となるため、真実性の原則に反し認められない。

③　**適用例**

1）減価償却における定額法に対する定率法
2）引当金の計上金額の見積り

単一性の原則

①　**要請内容**

単一性の原則は、実質一元・形式多元を要請している。ここに、実質一元・形式多元とは、目的別に財務諸表の表示形式が異なることはかまわないが、財務諸表の作成の基礎となる会計記録は単一であることをいう。

重要性の原則

①　**容認内容**

重要性の原則とは、ある項目について、その科目または金額の重要性が乏しい場合に、簡便な会計処理または表示を行うことを容認するものである。

②　**重要性の判断基準**

重要性の有無については、利害関係者の意思決定に及ぼす影響の度合いにより判断する。すなわち、利害関係者の意思決定に影響を及ぼす事項を重要性が高いものとみなし、意思決定に影響を及ぼさない事項を重要性の乏しいものと判断するのである。

③　**適用例**

1）貯蔵品等のうち、重要性の乏しいものについては、その買入時または払出時に費用として処理する方法を採用することができる。
2）前払費用、未収収益、未払費用および前受収益のうち、重要性の乏しいものについては、経過勘定項目として処理しないことができる。
3）引当金のうち、重要性の乏しいものについては、計上しないことができる。
4）たな卸資産の付随費用のうち、重要性の乏しいものについては、取得原価に算入しないことができる。
5）分割返済の定めのある長期の債権または債務のうち、期限が一年以内に到来するもので、重要性の乏しいものについては、固定資産または固定負債として表示することができる。
6）特別損益に属する項目のうち、重要性の乏しいものについては、経常損益計算に含めて表示することができる。
7）法人税等の更正決定等による追徴税額および還付税額のうち、重要性の乏しいものについては、当期の負担に属するものに含めて表示することができる。

まとめ

① 会計公準の意義
② 会計公準の内容
  1）企業実体の公準
  2）継続企業の公準
  3）貨幣的評価の公準
③ 企業会計原則
④ 真実性の原則
  1）要請内容→真実性の原則を除く他のすべての条項を遵守すること
  2）「真実」の意味→「相対的真実性」
⑤ 正規の簿記の原則
  1）要請内容→適正な会計処理、正確な会計帳簿の作成、誘導法に基づく財務諸表の作成
  2）「正確な会計帳簿」の要件→網羅性、検証性、秩序性
⑥ 資本・利益区別の原則
  1）要請内容
    イ）資本取引・損益取引区別の原則→期首自己資本そのものの増減と自己資本の利用による増減との区別

ロ）資本剰余金・利益剰余金区別の原則→資本取引から生じた資本剰余金と、損益取引から生じた利益剰余金との区別

2）必要性

イ）資本取引・損益取引区別の原則→適正な期間損益計算のため

ロ）資本剰余金・利益剰余金区別の原則→企業の財政状態および経営成績の適正な開示のため

⑦　明瞭性の原則

要請内容→財務諸表による会計情報の適正開示と明瞭表示

⑧　継続性の原則

1）要請内容→企業がいったん採用した会計処理の原則および手続を毎期継続して適用すること

2）必要性→経営者の利益操作の排除、財務諸表の期間比較性の確保

3）継続性の変更→「正当な理由」がある場合→企業会計がより合理的なものになる場合

⑨　保守主義の原則

1）要請内容→ある会計処理を行うにあたって、幾通りもの判断ができる場合には、予測される将来の危険に備えて慎重な判断に基づく会計処理を行うこと

2）真実性の原則との関係→一般に公正妥当と認められた会計処理の原則および手続の枠内で適用されている限り、真実性の原則に反しない

⑩　単一性の原則の要請内容→実質一元・形式多元

⑪　重要性の原則

1）容認内容→重要性が乏しい場合に、簡便な会計処理または表示を行うことを容認

2）重要性の判断基準→利害関係者の意思決定に及ぼす影響の度合いにより判断

学習度チェック

4 損益会計

重要度A ★★★

●学習のポイント●

① 期間損益計算において、期間収益および期間費用がどのような仕組みに基づいて認識されているか
② 今日の発生主義会計がどのような仕組みになっているか
③ 各種販売形態ごと、あるいは業種の違いによって収益の認識の仕方が異なることを認識する
④ 現行の企業会計において実現主義の原則を採用している理由
⑤ 費用の認識原則としての発生主義の原則および費用収益対応の原則がどのような原則であるかを学習する
⑥ 収益・費用の測定原則としての収支額基準とはどのようなものなのかを把握する

期間損益計算

① 期間損益計算

継続企業を前提とした損益計算であり、人為的に区切られた期間ごとに損益を計算するというものである。

② 期間利益の2つの性質

一般に、期間利益には、業績性（尺度性）と処分可能性という2つの性質が認められる。

1）業績性（尺度性）とは、期間利益が企業成果の指標としての機能を果たしうる性質をいう。

2）処分可能性とは、期間利益を処分しても維持すべき資本は侵害されないという性質をいう。

現金主義会計と発生主義会計

① 現金主義会計

現金主義会計とは、現金主義の原則に基づいて収益、費用を認識し、両者の差額として利益を計算する会計体系をいう。

ここに、現金主義の原則とは、現金収支に基づいて収益・費用を認識する原則をいう。

② 発生主義会計

発生主義会計とは、発生主義の原則に基づいて収益、費用を認識し、両者の差額として利益を計算する会計体系をいう。

ここに、発生主義の原則とは、経済価値の増減に基づいて収益・費用を認識する原則をいう。

③　現金主義会計から発生主義会計に移行した理由

現金主義会計では業績評価のための適正な期間損益計算が行えなくなったためである。

なお、具体的移行理由としては、信用経済制度の発展（信用取引の増加)、棚卸資産在庫の恒常化及び固定設備資産の増大などがあげられる。

企業会計原則に準拠した発生主義会計の枠組み

①　収益・費用の認識

収益は実現主義の原則により認識される。また、費用は発生主義の原則および費用収益対応の原則により認識される。

②　収益・費用の測定

収益・費用は収支額基準に基づいて、収支額により測定される。

③　企業会計原則に準拠した発生主義会計の本質

企業会計原則に準拠した発生主義会計は、処分可能利益の計算という制約を受けながらも、その枠内でできるだけ正確な期間損益計算を行おうとする会計体系である。

収益の認識

①　収益の認識原則

収益は実現主義の原則により認識される。ここに実現主義の原則とは、収益を実現の事実に基づいて計上することを要請する収益の認識原則である。なお、実現の事実とは、財貨・役務の引渡し・提供と対価としての貨幣性資産の受領を意味する。

②　採用根拠

1）伝統的な企業会計は、収益力の算定・表示を目的とするが、算出利益は処分可能利益でなければならないためである。

2）実現主義の原則によれば、確実性や客観性をみたすことができるためである。

収益の具体的な認識基準

①　実現主義の原則の具体的な認識基準

1）一般販売

一般販売とは、現金販売および信用販売による販売形態であり、商品・製品を引き渡した時に収益を計上する。

2）委託販売

委託販売とは、商品・製品の販売を受託者に委託し、受託者が委託された商品・製品の販売を委託者の計算において行う販売形態であり、受託者が委託品を販売した日に収益を計上する。

3）試用販売

試用販売とは、得意先に商品・製品を送付し、一定の試用期間を与え、現品を見せたうえで購入か否かの意思決定を待って販売を確定する販売形態であり、得意先が買取りの意思を表示したときに収益を計上する。

4）予約販売

予約販売とは、予約者からあらかじめ代金の一部または全部を受領し、その後に商品・製品を引き渡す販売形態であり、商品・製品を引き渡したときに収益を計上する。

5）割賦販売

割賦販売とは、売買契約成立の時に買主に商品・製品を引き渡すとともに、その代金を一定期間に月賦・年賦などで、定期的に分割して受け取る信用販売形態であり、商品・製品を引き渡した日に収益を計上する。

6）長期請負工事（工事完成基準）

長期請負工事については、工事が完成し、その引渡しが完了した日に収益を計上する。これを工事完成基準という。

費用の認識原則

① 費用の認識原則

費用は発生主義の原則および費用収益対応の原則により認識される。

ここに発生主義の原則とは、費用を発生の事実に基づいて計上することを要請する費用の認識原則である。

また、費用収益対応の原則とは、発生した費用のうち、期間実現収益に対応するものを限定し、期間対応費用を決定することを要請する原則である。

② 採用根拠

処分可能利益の計算という制約を受けながらも、その枠内において、できるだけ正確な期間損益計算を行うためである。

③ 費用と収益の対応の形態

費用と収益の対応関係には、個別的対応と期間的対応の２つがある。

1）個別的対応（直接的対応）

個別的対応とは、売上高と売上原価のように、その収益と費用とが商品または製品を媒介とする直接的な対応関係をいう。

2）期間的対応（間接的対応）

期間的対応とは、売上高と販売費および一般管理費のように、その収益と費用とが会計期間を唯一の媒介とする間接的な対応関係をいう。

発生主義の原則における「発生」についての解釈

費用の発生とは、財貨または用役の価値費消事実の発生と、財貨または用役の価値費消原因事実の発生を意味する。

収益・費用の測定

① 収益・費用の測定原則

収益・費用は収支額基準に基づいて、収支額により測定される。ただし、この場合の収支額とは、当期の収支額だけでなく、過去の収支額および将来の収支額を含む、広義の収支額である。

② 採用根拠

1）伝統的な企業会計においては、収益力の算定・表示を目的とするが、算出利益は処分可能利益でなければならないためである。

2）収支額基準によれば、確実性や客観性をみたすことができるためである。

重要語句解説

●認識

収益および費用の期間帰属、つまりどの会計期間に属するかを決定すること。

●測定

収益および費用の金額を決定すること。

まとめ

① 現金主義会計→現金主義の考え方を中心にまとめられた会計体系

② 発生主義会計→発生主義の考え方を中心にまとめられた会計体系

③ 企業会計原則に準拠した発生主義会計の枠組み

1）収益の認識→実現主義の原則

2）費用の認識→発生主義の原則および費用収益対応の原則

3）収益・費用の測定→収支額基準

④ 収益の認識

1）収益の認識原則→実現主義の原則

2）実現の要件

イ）財貨・役務の引渡し・提供

ロ）対価としての貨幣性資産の受領

3）採用根拠→処分可能利益算定のため、確実性や客観性をみたすため

⑤ 費用の認識

1）費用の認識原則→発生主義の原則および費用収益対応の原則

2）採用根拠→処分可能利益算定の枠内で、できるだけ正確な期間損益計算を行うため

⑥ 収益・費用の測定

1）収益・費用の測定基準→収支額基準

2）採用根拠→処分可能利益算定のため、確実性や客観性をみたすため

MEMO

学習度チェック

5 資　　産

重要度A ★★★

●学習のポイント●

① 資産分類の際の視点を明確にする
② 貨幣性資産の評価・費用性資産の評価は、具体的項目をみていくうえでの前提となることを理解する
③ 資産の評価には、取得時の評価と決算時の評価があることを理解する
④ 費用性資産の評価において、取得原価主義が採用される根拠・特徴を理解する

資産の分類

① 流動・固定分類

企業の支払能力または財務流動性に着目する資産の分類方法をいう。この分類方法によれば、資産は流動資産と固定資産とに大別される。

② 貨幣性・費用性分類

資産と損益計算との関係に着目する、いわゆる資産評価に結びつく分類方法をいう。この分類方法によれば、資産は貨幣性資産と費用性資産とに大別される。

※ 貨幣性・費用性分類は、会計理論上、貨幣性資産と非貨幣性資産に分類されるとする見解もある。

貨幣性資産の評価

① 貨幣性資産とは、最終的に現金化される資産をいう。
② 貨幣性資産は、回収可能価額によって評価される。

費用性資産の評価

① 費用性資産とは、将来費用化される資産（棚卸資産・固定資産等）をいう。
② 費用性資産は、原価主義の原則によって、当該資産の取得に要した支出額、すなわち取得原価に基づき評価される。

また、費用性資産の取得原価は、費用配分の原則によって各会計期間に費用として配分され、費用配分後の残余部分が各会計期間末における評価額となる。

原価主義の原則

① **意　義**

原価主義の原則とは、費用性資産をその取得に要した支出額、すなわち取得原価に基づいて評価することを指示する評価原則である。

② **採用根拠**

1）伝統的な企業会計においては、収益力の算定・表示を目的とするが、算出利益は処分可能利益でなければならないためである。
2）原価主義の原則によれば、確実性や客観性をみたすことができるためである。

③ **実現主義の原則との関係**

原価主義の原則は、未実現利益である資産評価益の計上を許さないため、実現主義の原則と表裏一体の関係にある。

費用配分の原則

① **意　義**

費用配分の原則とは、費用性資産の取得原価を各会計期間に費用として配分していくことを指示する原則をいう。

② **費用配分の原則の性格**

費用配分の原則は費用性資産についての費用の測定原則であるとともに、資産の評価原則でもある。

取得原価主義の限界（問題点）

取得原価主義会計は、物価変動時において、以下の問題点がある。

① 資産評価額が時価と乖離する。
② 本来の営業活動に基づかない保有損益が利益計算の中に混入する。
③ 物価変動を反映した資本の維持を図ることができない。

重要語句解説

●評価

資産・負債・純資産等の貸借対照表に掲げられる項目について、一定の基準に基づいて貨幣額を決定すること。狭義には、決算時における貸借対照表価額を決定することを意味する。

まとめ

① 貨幣性資産の評価→回収可能価額

② 費用性資産の評価→取得時…原価主義の原則（取得原価）
　　　　　　　　　　→決算時…費用配分の原則（費用配分後の残余額）

③ 原価主義の原則

1）意義→費用性資産を取得に要した支出額（取得原価）で評価する原則

2）採用根拠

イ）処分可能利益算定のため

ロ）確実性や客観性をみたすことができるため

④ 費用配分の原則

1）意義→費用性資産の取得原価を各期に費用として配分する手続

2）性格→費用の測定原則であり資産の評価原則でもある

⑤ 取得原価主義の限界（問題点）

物価変動時において、以下の問題点が生じる

1）時価と乖離する

2）保有損益が利益計算に混入する

3）物価変動を反映した資本の維持を図ることができない

MEMO

学習度チェック

6　棚卸資産

重要度A ★★★

●学習のポイント●

① 棚卸資産の取得原価の決定方法をマスターする
② 棚卸資産の費用配分の方法をマスターする

棚卸資産の範囲

これまで、棚卸資産の範囲は、原則として、連続意見書第四に定める次の4項目のいずれかに該当する財貨または用役であるとされていた。

1）通常の営業過程において販売するために保有する財貨または用役（商品・製品）
2）販売を目的として現に製造中の財貨または用役（半製品・仕掛品）
3）販売目的の財貨または用役を生産するために短期間に消費されるべき財貨（原材料・工場用消耗品）
4）販売活動および一般管理活動において短期間に消費されるべき財貨（事務用消耗品・荷造用品）

棚卸資産の評価方法、評価基準および開示について「棚卸資産の評価に関する会計基準」では、棚卸資産の範囲に関しては、連続意見書第四の考え方およびこれまでの取扱いを踏襲し、企業がその営業目的を達成するために所有し、かつ、売却を予定する資産のほか、従来から棚卸資産に含められてきた販売活動および一般管理活動において短期間に消費される事務用消耗品等も棚卸資産に含めている。

なお、売却には、通常の販売のほか、活発な市場が存在することを前提として、棚卸資産の保有者が単に市場価格の変動により利益を得ることを目的とするトレーディングも含まれる。

また、企業がその営業目的を達成するために所有し、かつ、売却を予定する資産であっても、金融基準に定める売買目的有価証券や、研究開発費基準に定める市場販売目的のソフトウェアのように、他の会計基準において取扱いが示されているものは、該当する他の会計基準の定めによることとなる。

棚卸資産の取得原価

① **購入品**

購入棚卸資産については、購入代価に副費（附随費用）の一部または全部を加算した額をもって取得原価とする。

② **生産品**

生産品については、適正な原価計算の手続により算定された正常実際製造原価をもって取得原価とする。

※　副費には、引取運賃・購入手数料・関税などの外部副費と購入事務費・保管費その他の内部副費の２種類がある。

加算する副費の範囲は、企業の実情に応じて、重要性の原則、継続性の原則などを考慮して決定される。

棚卸資産の費用配分

①　棚卸資産の費用配分は、数量計算と金額計算によって行われる。

②　数量計算→棚卸資産の費用配分額の算定にあたって払出数量を計算すること。

③　金額計算→棚卸資産の費用配分額の算定にあたって払出単価を計算すること。

数量計算の方法

① **継続記録法**

1）内　容

継続記録法とは、棚卸資産の受入れおよび払出しのつど商品有高帳などの帳簿に記録を行って、払出数量を直接的に計算する方法である。

2）長　所

イ）払出数量を把握でき、ひいては売上原価を正確に算定できる。

ロ）実地棚卸を併用することによって棚卸減耗を把握することができる。

3）短　所

イ）記録・計算等の事務に手数がかかる。

ロ）実地棚卸を行わないと実際の期末数量が把握できない。

② **棚卸計算法**

1）内　容

棚卸計算法とは、棚卸資産の受入れの記録は行われるが、期中における払出しの記録は行われず、期末に実地棚卸を行って、払出数量を間接的に計算する方法である。

2）長　所

イ）記録・計算等の事務に手数がかからない。

ロ）実際の期末数量を把握することができる。

3）短　所

イ）棚卸減耗が払出数量に混入するため、売上原価を正確に算定できない。

ロ）棚卸減耗を把握することができない。

金額計算の方法

原価法（取得原価を払出単価とする方法）

①　個別法

1）内　容

個別法は、取得原価の異なる棚卸資産を区別して記録し、その個々の実際原価によって期末棚卸資産の価額を算定する方法である。

2）長　所

物的変動と金額計算が完全に一致するので最も正確な計算方法である。

3）短　所

多種多量の棚卸資産を有する場合には適用困難である。また、払出品の恣意的な選択により、利益操作が可能である。

②　先入先出法

1）内　容

先入先出法は、最も古く取得されたものから順次払出しが行われ、期末棚卸資産は最も新しく取得されたものからなるとみなして期末棚卸資産の価額を算定する方法である。

2）長　所

イ）物的流れに即応した払出額計算ができる。

ロ）在庫の金額に直近の市場価格が反映される。

3）短　所

損益計算上古い原価が新しい収益に対応されるため、費用収益の同一価格水準的対応が図られず、価格変動時には保有損益が計上されることになる。

③　後入先出法

1）内　容

後入先出法は、最も新しく取得されたものから払出しが行われ、期末棚卸資産は最も古く取得されたものからなるとみなして期末棚卸資産の価額を算定する方法である。

2）長　所

損益計算上新しい原価が新しい収益に対応されるため、費用収益の同一価格水準的対応が図られることとなり、価格変動時には保有損益の計上を抑制できることになる。

3）短　所

イ）物的流れと逆の払出額計算となる。

ロ）在庫の金額が直近の市場価格から乖離する。

※　後入先出法は先入先出法や平均原価法と同様に一定の仮定に基づく評価方法としてその採用が認められてきたが、平成20年改正棚卸資産基準では、会計基準の国際的なコンバージェンスの観点から、選択可能な評価方法から後入先出法が削除されている。

④　平均原価法

1）内　容

平均原価法は、取得した棚卸資産の平均原価を算出し、この平均原価によって期末棚卸資産の価額を算定する方法である。なお、平均原価の算出方法として、総平均法と移動平均法がある。

2）長　所

払出単価の変動を中和化ないし平均化することができる。

3）短　所

総平均法は期中に単価が判明せず、移動平均法は受入れのつど平均単価を算出しなければならないといった会計処理上の不便さがある。

まとめ

① 棚卸資産の取得原価の決定

1）購入品→購入代価＋副費の一部または全部

2）生産品→正常実際製造原価

② 棚卸資産の費用配分→数量・金額の両面から決定

払出数量×払出単価

1）数量計算

・継続記録法

商品有高帳等の帳簿に記録し、直接的に把握する方法→売上原価を正確に算定できる

・棚卸計算法

期末実地棚卸を行い、間接的に把握する方法→売上原価を正確に算定できない

2）金額計算

イ）先入先出法→長所…在庫の金額に直近の市場価格が反映される

短所…物価変動時に保有損益が計上される

ロ）後入先出法→長所…物価変動時に保有損益の計上を抑制できる

短所…在庫の金額が直近の市場価格から乖離する

MEMO

学習度チェック

7　有形固定資産

重要度A ★★★

●学習のポイント●

① 有形固定資産について取得態様ごとの取得原価の決定
② 減価償却の意義・目的
③ 減価償却を財務的側面からとらえた場合、どのような効果を有しているか
④ 減耗償却・取替法と減価償却との違いを明確にする

有形固定資産の取得原価

① 購　入

固定資産を購入によって取得した場合には、購入代金に買入手数料、運送費、荷役費、据付費、試運転費などの付随費用を加えた額をもって取得原価とする。

② 自家建設

固定資産を自家建設した場合には、適正な原価計算基準に従って計算した製造原価をもって取得原価とする。

自家建設に要する借入資本の利子の取扱い

1）原　則

イ）取扱い

自家建設に要する借入資本の利子は、原則的には取得原価に算入せず、発生した期間の費用として取扱う。

ロ）理　由

借入資本利子は財務活動により発生するものであるから、財務費用として計上すべきであるためである。

2）例　外

イ）取扱い

固定資産の自家建設に要する借入資本の利子で、稼働前の期間に属するものはこれを取得原価に算入することができる。

ロ）理　由

借入資本利子の原価算入を認めるのは、費用・収益対応の見地から借入資本利子を固定資産の取得原価に算入し、その費用化を通じて将来の収益と対応させるためである。

③ **現物出資**

固定資産を現物出資により受け入れた場合には、出資者に対して交付された株式の発行価額をもって取得原価とする。

④ **交　換**

1）自己所有の固定資産と交換に固定資産を取得した場合には、交換に供された自己資産の適正な簿価をもって取得原価とする。これは譲渡資産と取得資産との間に投資の継続性が認められるためである。

2）自己所有の株式ないし社債等と固定資産を交換した場合には、当該有価証券の時価または適正な簿価をもって取得原価とする。これは譲渡資産と取得資産との間に投資の継続性が認められないためである。

⑤ **贈　与**

固定資産を贈与された場合には、時価等を基準として公正に評価した額をもって取得原価とする。また、取得原価を取得に要した支出額と捉えた場合、対価は存在しないためゼロとすべきである。

1）贈与（取得原価をゼロとした場合の問題点）

イ）簿外資産が存在することになり、貸借対照表上に計上されないため、利害関係者の判断を誤らせるおそれがある。

ロ）減価償却による費用化が行えないので、当該固定資産を使用して収益を獲得している場合には、これに対応した減価償却費が計上されず、適正な期間損益計算が行えないこととなる。

減価償却の意義

減価償却とは、費用配分の原則に基づいて、有形固定資産の取得原価をその耐用期間における各事業年度に費用として配分することである。

減価償却の目的

減価償却の目的は、適正な費用配分を行うことによって、毎期の損益計算を正確ならしめることである。

減価償却の効果

① **固定資産の流動化**

固定資産取得のために投下され、固定化されていた資金が、減価償却の手続により再び貨幣性資産として回収され流動化したことを意味する。

② **自己金融**

減価償却費は支出を伴わない費用であるので、資金的には当該金額だけ企業内に留保され、取替資金の蓄積が行われることを意味する。

減価償却の方法

① 期間を配分基準とする方法

1）定額法…固定資産の耐用期間中、毎期均等額の減価償却費を計上する方法
　イ）長　所：計算が簡便、安定した取得原価の期間配分が可能
　ロ）短　所：使用経過につれて維持修繕費が逓増する場合、耐用年数の後半に費用負担が増大

2）定率法…固定資産の耐用期間中、毎期期首未償却残高に一定率を乗じた減価償却費を計上する方法
　イ）長　所：投下資本の早期回収が可能、耐用年数の後半には減価償却費が減少し、毎期の費用負担の平準化が可能
　ロ）短　所：取得原価の期間配分という点では非合理的

3）級数法…固定資産の耐用期間中、毎期一定の額を算術級数的に逓減した減価償却費を計上する方法
　イ）長　所：定率法の長所である毎期の費用負担の平準化と同様の効果があり、定率法の短所である償却費の急激な減少を抑制
　ロ）短　所：定率法と比較して計算が複雑

② 生産高を配分基準とする方法

1）生産高比例法…固定資産の耐用期間中、毎期当該資産による生産または用役の提供の度合いに比例した減価償却費を計上する方法
　イ）長　所：生産高（収益）とコスト（費用）の対応が合理的
　ロ）短　所：適用資産が、航空機、自動車等に限られる

資本的支出と収益的支出

① 意　義

資本的支出とは、固定資産の原価に算入すべき支出をいい、収益的支出とは、支出した期の費用（修繕費）として処理すべき支出をいう。

② 両者を区別する基準

ある支出により固定資産の耐用年数が延長した場合、あるいは固定資産の価値が増加した場合、その耐用年数の延長、あるいは価値の増加に対応する金額は資本的支出とし、固定資産の単なる維持・管理となる場合には収益的支出とする。

減耗償却

① 意　義

1）減耗償却とは、減耗性資産に対して適用される費用配分の方法である。

2）減耗償却は減価償却とは異なる別個の費用配分方法であるが、手続的には生産高比例法と同じ方法で減耗償却費を計算する。

② 適用資産（＝減耗性資産）

鉱山業における埋蔵資源あるいは林業における山林のように、採取されるにつれて漸次減耗し、枯渇する天然資源を表す資産である減耗性資産に限られる。

③ 減耗償却と減価償却の相違点

	減　耗　償　却	減　価　償　却
イ	取替・更新ができない減耗性資産に対して適用される。	取替・更新が可能な有形固定資産に対して適用される。
ロ	減耗性資産の物量的な減少に着目して行われる。	有形固定資産の価値的な減少に着目して行われる。

取替法

① 意　義

取替法とは、取替資産の部分的取替に要した支出を収益的支出として処理する方法である。

② 適用資産（＝取替資産）

同種の物品が多数集まって１つの全体を構成し、老朽品の部分的取替を繰返すことによって、全体が維持されるような固定資産である取替資産に限られる。

③ 減価償却との相違点

取替法は取替に要した支出額をその期の費用とする方法であるのに対して、減価償却は過去に支出した取得原価を各会計期間に費用として配分する方法である。

まとめ

①　有形固定資産の取得原価
　1）購入→購入代金＋付随費用
　2）自家建設→製造原価
　3）現物出資→交付された株式の発行価額
　4）交換
　　イ）固定資産→交換に供された自己資産の適正な簿価
　　ロ）有価証券→有価証券の時価または適正な簿価
　5）贈与→公正に評価した額
②　減価償却の意義・目的
　1）意義→費用配分の原則に基づいて、有形固定資産の取得原価をその耐用期間における各事業年度に費用として配分すること
　2）目的→適正な期間損益計算を行うため
③　減価償却の効果
　1）固定資産の流動化→減価償却の手続→有形固定資産に投下されていた資金が貨幣性資産として回収され流動化
　2）自己金融→減価償却費は支出を伴わない費用→取替資産の蓄積が行われる
④　減価償却の方法
　定額法・定率法・級数法・生産高比例法
⑤　資本的支出と収益的支出の区別
　1）耐用年数延長あるいは価値増加に対応する金額
　　→資本的支出
　2）単なる維持・管理→収益的支出
⑥　減耗償却の特徴
　1）減耗性資産に対して適用される費用配分の方法
　2）減価償却とは異なる別個の費用配分方法
　3）手続的には生産高比例法と同じ方法で減耗償却費を計算
⑦　取替法→固定資産の部分的取替に要した支出を収益的支出として処理する方法

MEMO

学習度チェック

8　無形固定資産

重要度C ★

●学習のポイント●

のれんの本質と資産計上が認められる考え方を理解する

のれん

①　意　義

のれんとは、人や組織などに関する優位性を源泉として、当該企業の平均的収益力が同種の他の企業のそれより大きい場合における、その超過収益力である。

②　のれんの貸借対照表への計上

自己創設のれんは、恣意性の介入により資産として客観的な評価ができないため、貸借対照表への計上が認められないが、有償取得のれんは、その取得の際に対価を支払うことから恣意性を排除し客観的な評価ができるため、貸借対照表への計上が行われるのである。

③　のれんの償却

のれんの償却については、会計理論上、償却不要説と償却必要説の２つの見解がある。

1）償却不要説→のれんは永久的な資産であり、営業の継続とともにその価値が増加するという考え方を前提に、償却は不要とする見解である。

2）償却必要説→競争企業が存在する以上、のれんを永久的に維持することは不可能であり、その価値は減少するという考え方を前提に、その価値減少部分につき償却が必要であるとする見解である。

まとめ

① のれんの意義→超過収益力

② のれんの貸借対照表への計上

1）自己創設のれん

評価に客観性がない→貸借対照表への計上は認められない

2）有償取得のれん

評価に客観性が認められる→貸借対照表への計上が認められる

③ のれんの償却→償却不要説、償却必要説

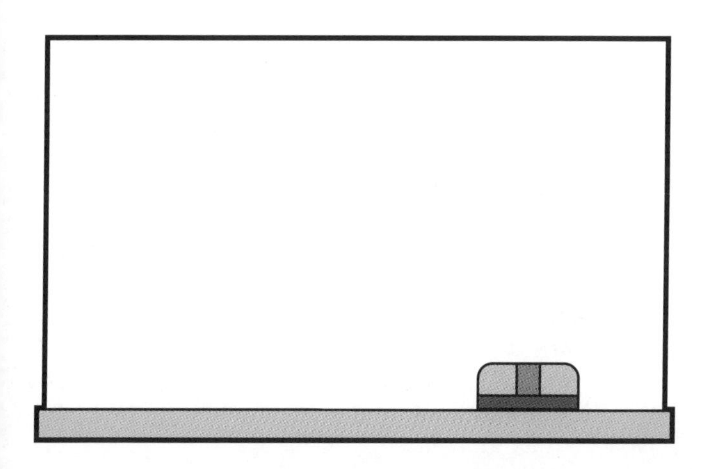

学習度チェック

9　繰延資産

重要度A
★★★

●学習のポイント●

① 繰延資産の意義・繰延経理の根拠
② 各繰延資産の取扱いについて理解する

繰延資産の意義

繰延資産とは、すでに代価の支払が完了しまたは支払義務が確定し、これに対応する役務の提供を受けたにもかかわらず、その効果が将来にわたって発現するものと期待される費用のうち、その効果が及ぶ数期間に合理的に配分するため、経過的に貸借対照表上、資産として計上されたものをいう。

繰延経理の根拠

将来の期間に影響する特定の費用は、適正な期間損益計算の見地から、効果の発現および収益との対応関係を重視して、繰延経理される。

1）ある支出が行われ、また、それによって役務の提供を受けたにもかかわらず支出もしくは役務の有する効果が、当期のみならず、次期以降にわたるものと予想される場合、効果の発現という事実を重視して、効果の及ぶ期間にわたる費用として、これを配分する。

2）ある支出が行われ、また、それによって役務の提供を受けたにもかかわらずその金額が当期の収益にまったく貢献せず、むしろ、次期以降の損益に関係するものと予想される場合、収益との対応関係を重視して、数期間の費用として、これを配分する。

1　繰延資産と長期前払費用

(1)　共通点

繰延資産、長期前払費用ともに代価の支払が完了している点では共通する。

(2)　相違点

繰延資産はすでに役務の提供を受けているため、財産性を有しないが、長期前払費用は未だ役務の提供を受けていないため、財産性を有する。

各繰延資産の取扱い

① **株式交付費を資本から直接控除しない理由**

1）株式交付費は株主との資本取引に伴って発生するものであるが、その対価は株主に支払われるものではないためである。

2）株式交付費は社債発行費と同様、資金調達を行うために要する支出額であり、財務費用としての性格が強いと考えられるためである。

3）資金調達に要する費用を会社の業績に反映させることが投資者に有用な情報を提供することになると考えられるためである。

② **臨時巨額の損失**

1）意　義

臨時巨額の損失とは、天災等により固定資産又は企業の営業活動に必須の手段たる資産の上に生じた損失が、その期の利益から当期の処分予定額を控除した金額をもって負担しえない程度に巨額であって、特に法令をもって認められたものをいう。

2）取扱い

臨時巨額の損失については、経過的に貸借対照表の資産の部に記載して繰延経理することができる。

3）繰延経理が認められる理由

臨時巨額の損失は企業の利益配当を可能にしたり、株価の暴落や株式市場の混乱を回避しようとするための経済政策的見地から、繰延経理が認められる。

まとめ

① 繰延資産→将来の期間に影響する特定の費用のうち、貸借対照表に資産計上されたもの

② 繰延経理の根拠→効果の発現および収益との対応関係を重視

③ 繰延資産と長期前払費用

繰延資産→役務提供を受けている→財産性なし

長期前払費用→役務提供を受けていない→財産性あり

④ 各繰延資産の取扱い

1）株式交付費を資本から直接控除しない理由

2）臨時巨額の損失→経済政策的見地から繰延経理が容認

学習度チェック

10 負　　債

重要度B ★★

●学習のポイント●

① 伝統的動的会計観における負債の意義を理解する
② 負債の分類
　1）短期性の負債、長期性の負債
　2）法的に債務性のあるもの、法的に債務性のないもの
③ 負債の評価がどのように行われるか

負債の分類

① 流動・固定分類

企業の支払能力または財務流動性に着目する負債の分類方法をいう。この分類方法によれば、負債は流動負債と固定負債に大別される。

② 属性別分類

負債概念を構成する項目についての属性の相違に着目する負債の分類方法をいう。この分類方法によれば、負債は債務と非債務に大別され、債務はさらに確定債務と条件付債務に細分される。

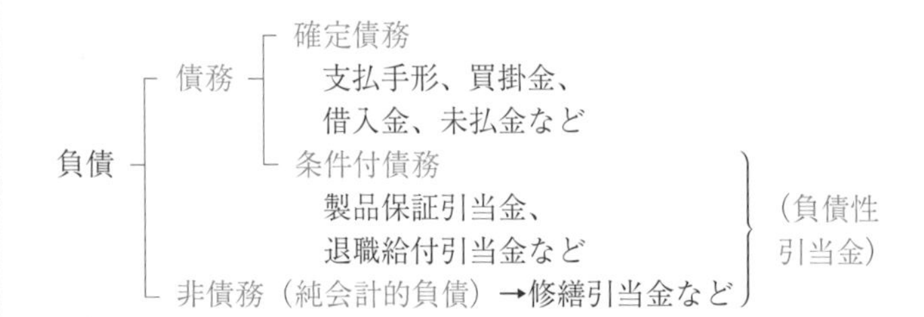

負債の評価

確定債務は、原則として契約による債務額によって評価される。また、負債性引当金は、合理的見積額により評価される。

まとめ

① 負債の分類（流動・固定分類、属性別分類）
　1）流動・固定分類→流動負債・固定負債
　2）属性別分類
　　負債→債務（確定債務・条件付債務）と非債務
② 負債の評価
　1）確定債務→契約による債務額によって評価
　2）負債性引当金→合理的見積額によって評価

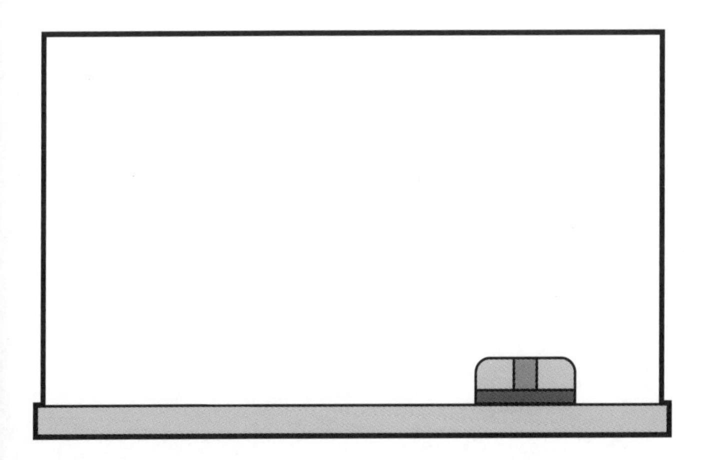

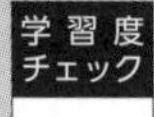

学習度チェック

11 引当金

重要度A ★★★

●学習のポイント●

① 引当金の意義と要件
② 引当金が計上される根拠
③ 引当金の分類
④ 引当金と積立金との異同点
⑤ 偶発債務の内容、引当金との比較

引当金の意義と要件

① 意 義

引当金とは、将来の費用・損失を当期の費用・損失としてあらかじめ見越計上したときの貸方項目である。

② 要 件

1）将来の特定の費用または損失であること
2）その発生が当期以前の事象に起因すること
3）発生の可能性が高いこと
4）その金額を合理的に見積ることができること

以上の4つの要件をすべて満たす場合に計上される。

引当金の計上根拠

引当金を計上するのは、収益と費用を対応させ、期間損益計算の適正化を図るためであり、発生主義の原則をその計上根拠とする。

引当金の分類

引当金は、その性質の違いから評価性引当金と負債性引当金に分けられ、負債性引当金はさらに、債務性の観点から債務たる引当金と債務でない引当金とに細分される。

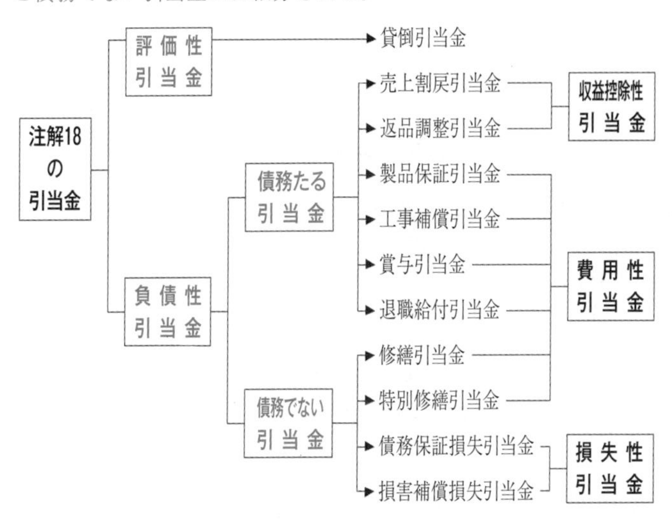

偶発債務

① 意　義

偶発債務とは、現在は可能性としての債務であるが、将来ある事象が発生すれば現実の債務になりうるようなことがらをいう。

② 表　示

企業会計原則においては、偶発債務は注記により開示することが要求されている。これは、偶発債務が企業の将来の財政状態および経営成績に重大な影響を及ぼすおそれがあるので、そのような事実を開示しておくためである。

③ 引当金との比較

1）偶発債務と引当金との違いは、債務の発生する可能性の高さにある。

2）引当金→発生の可能性が高い。

3）偶発債務→引当金ほど高くない。

引当金と積立金

① **共通点**

引当金も積立金も将来の支出に備えるための不特定資産の留保を意味する。

② **相違点**

1）引当金は、期間利益の算出過程で生じる貸方項目
2）積立金は、剰余金の処分過程で生じる貸方項目

負債性引当金と未払費用

① **共通点**

負債性引当金と未払費用は、費用を計上したときの貸方項目であり、支出が次期以降であるという点で共通している。

② **相違点**

負債性引当金は、財貨または用役の価値費消原因事実の発生に基づいて計上される項目であり、未払費用は、財貨または用役の価値費消事実の発生に基づいて計上される項目である。また、負債性引当金は見積額を基礎に測定されるのに対し、未払費用は契約額を基礎に測定される。

貸倒引当金と減価償却累計額

① **共通点**

貸倒引当金と減価償却累計額は資産から控除する評価性控除項目である点で共通している。

② **相違点**

貸倒引当金は、財貨または用役の価値費消原因事実の発生に基づいて計上される項目であり、減価償却累計額は、財貨または用役の価値費消事実の発生に基づいて計上される項目である。また、貸倒引当金は将来の収入減少額を基礎に測定されるのに対し、減価償却累計額は過去の支出額を基礎に測定される。

攻略のコツ

① 引当金の本質を十分に把握する。
② 偶発債務・積立金等との相違点に注意する。

まとめ

① 引当金の意義→将来の費用・損失を当期の費用・損失として見越計上したときの貸方項目

② 引当金の計上要件→将来の特定の費用または損失
→その発生が当期以前の事象に起因
→発生の可能性が高い
→その金額を合理的に見積ることができる

③ 引当金の計上根拠（発生主義の原則）

④ 引当金の分類→評価性引当金・負債性引当金（債務たる引当金・債務でない引当金）

⑤ 偶発債務
1）意義→現実の債務になりうるようなことがら
2）引当金との比較→債務としての発生の可能性の高さに相違がある

⑥ 引当金と積立金の比較
1）共通点→将来の支出に備えるための不特定資産の留保を意味する
2）相違点
イ）引当金→期間利益の算出過程で生じる貸方項目
ロ）積立金→剰余金の処分過程で生じる貸方項目

⑦ 負債性引当金と未払費用の比較
1）共通点→費用計上時の貸方項目、支出が次期以降
2）相違点
イ）負債性引当金→価値費消原因事実、見積額
ロ）未払費用→価値費消事実、契約額

⑧ 貸倒引当金と減価償却累計額
1）共通点→評価性控除項目
2）相違点
イ）貸倒引当金→価値費消原因事実、将来の収入減少額
ロ）減価償却累計額→価値費消事実、過去の支出額

学習度チェック

12　財務諸表

重要度B ★★

●学習のポイント●

① 制度会計における財務諸表（計算書類等）の体系をおぼえる
② 企業会計において、損益計算書がどのような役割を果たしているのか
③ 損益計算書の作成原則（総額主義の原則、費用収益対応表示の原則、区分表示の原則）を学習する
④ 企業会計において、貸借対照表がどのような役割を果たしているか
⑤ 貸借対照表の作成原則（総額主義の原則、区分表示の原則、配列方法、科目の分類基準）を学習する

財務諸表の体系

① 会社法会計における財務諸表（計算書類等）の体系

会社法会計において作成される財務諸表（計算書類等）には、貸借対照表、損益計算書、株主資本等変動計算書、注記表、事業報告および附属明細書の6つがある。

② 金融商品取引法会計における財務諸表の体系

金融商品取引法会計において作成される財務諸表には、貸借対照表、損益計算書、株主資本等変動計算書、キャッシュ・フロー計算書および附属明細表の5つがある。

損益計算書の本質

損益計算書は、企業の経営成績を明らかにするために、一会計期間に属するすべての収益と、これに対応するすべての費用とを記載したものである。

損益計算書作成の考え方

損益計算書の作成において求めるべき利益概念の違いから、当期業績主義と包括主義という2つの考え方がある。

① 当期業績主義

当期業績主義とは、損益計算書の作成目的を期間的な業績利益の算定・表示と考え、そのために、期間損益（経常損益）のみで損益計算を行い、損益計算書を作成するという考え方をいう。

② 包括主義

包括主義とは、損益計算書の作成目的を期間的な処分可能利益の算定・表示と考え、そのために、期間損益（経常損益）のみならず期間外損益（特別損益）も含めて損益計算を行い、損益計算書を作成するという考え方をいう。

③ 現行の企業会計原則における損益計算書

現行の企業会計原則における損益計算書は、期間外損益（特別損益）も記載することから、形式的には包括主義の立場を採用しているが、当期業績主義に基づく利益も表示していることから、実質的には当期業績主義と包括主義を併合した形の損益計算書となっている。

損益計算書における総額主義の原則

① 意　義

費用及び収益は、総額によって記載することを原則とし、費用の項目と収益の項目とを直接に相殺することによってその全部又は一部を損益計算書から除去してはならないことを指示するものである。

② 採用理由

利益の源泉となった取引の量的規模を明瞭に表示することにより、企業の経営活動の状況を明らかにするためである。

③ 総額主義によらないもの

1）売上高および仕入高

売上高および仕入高については、総売上高・総仕入高から値引・割戻・戻りを控除した純売上高および純仕入高による表示が行われる。

2）為替差損益

為替差益・為替差損については、両者を相殺していずれか一方で表示することとしている。

損益計算書における費用収益対応表示の原則

① 意　義

費用及び収益は、その発生源泉に従って明瞭に分類し、各収益項目とそれに関連する費用項目とを損益計算書に対応表示しなければならないことを指示するものである。

② 実質的対応関係（因果関係）に基づく対応表示

1）個別的対応関係に基づく対応表示

売上高と売上原価のように、その収益と費用とが商品または製品を媒介とする直接的な対応関係に基づく対応表示である。

2）期間的対応関係に基づく対応表示

売上高と販売費及び一般管理費のように、その収益と費用とが会計期間を唯一の媒介とする間接的な対応関係に基づく対応表示である。

③ 取引の同質性に基づく対応表示

営業外収益と営業外費用、あるいは特別利益と特別損失との関係にみられるように、実質的対応関係はなく、取引の同質性に着目する対応表示である。

損益計算書における区分表示の原則

① 意 義

営業損益計算、経常損益計算および純損益計算の区分を設け、区分計算表示することを指示するものである。

② 各区分の内容

1）営業損益計算の区分は、その企業の営業活動から生じる損益を記載して、営業利益を計算する区分であり、この営業利益を表示することにより、企業の営業成績が明らかとなる。

2）経常損益計算の区分は、営業損益計算の結果を受けて、営業活動以外の活動から生ずる損益で特別損益に属しないものを記載して、経常利益を計算する区分であり、この経常利益を表示することにより、企業の正常収益力が明らかとなる。

3）純損益計算の区分は、経常損益計算の結果を受けて、特別損益（臨時損益）を記載して、税引前当期純利益を計算する区分であり、この税引前当期純利益を表示することにより、当期の処分可能利益の増加額が明らかとなる。

貸借対照表の本質

貸借対照表は、企業の財政状態を明らかにするために、貸借対照表日におけるすべての資産、負債および純資産とを対照表示したものである。

貸借対照表の機能

① 期間損益計算の連結機能

貸借対照表は、収支計算と損益計算との期間的なズレから生じる未解決項目を収める場所であり、連続する期間損益計算を連結する機能を果たしている。

② 財政状態表示機能

動態論における貸借対照表は、企業資本の運用形態とそれら資本の調達源泉とを対照表示したものである。したがって、それは、一定時点における企業の財政状態を表示する機能を果たしている。

貸借対照表完全性の原則

① **意　義**

貸借対照表完全性（網羅性）の原則は、一定の時点で保有するすべての資産、負債および純資産を漏れなく完全に、貸借対照表に記載すべきことを要求するものである。

② **簿外資産・簿外負債が認められる理由**

貸借対照表完全性の原則のもと、本来、簿外資産及び簿外負債は認められない。

しかし、利害関係者の判断を誤らせない限りにおいて、重要性の原則の適用により簡便な処理をした結果生じた簿外資産及び簿外負債は、正規の簿記の原則に従った適正な会計処理により生じたものとして認められる。

よって、貸借対照表完全性の原則のもとでも、例外的に、簿外資産及び簿外負債が認められる。

貸借対照表における総額主義の原則

① **意　義**

資産と負債または純資産とを直接相殺することによって、その全部または一部を貸借対照表から除去してはならないことを指示するものである。

② **採用根拠**

企業の財政規模を明らかにするためである。

貸借対照表における区分表示の原則

貸借対照表は、資産の部、負債の部および純資産の部の三区分に分かち、さらに資産の部を流動資産、固定資産および繰延資産に、負債の部を流動負債および固定負債に区分しなければならない。

貸借対照表における配列方法

① **流動性配列法**

流動性配列法とは、資産の配列を流動資産、固定資産の順序で配列し、負債についても、流動負債、固定負債の順序で配列する方法をいう。この配列法は、企業の財務流動性の程度を見るのに適している。

② **固定性配列法**

固定性配列法とは、資産の配列を固定資産、流動資産の順序で配列し、負債についても、固定負債、流動負債の順序で配列する方法をいう。この配列法は、企業の財務健全性の程度を見るのに適している。

貸借対照表における科目の分類基準

貸借対照表上の科目の分類基準には、正常営業循環基準と１年基準とがあり、その他科目の性質や保有目的等により分類されるものもある。

① **正常営業循環基準**

正常営業循環基準とは、企業の正常な営業循環過程を構成する資産および負債は、これをすべて流動資産および流動負債に属するものとする基準をいう。

② **１年基準**

１年基準とは、貸借対照表日の翌日から起算して１年以内に期限が到来するものを流動資産・流動負債とし、期限が１年を超えて到来するものを固定資産・固定負債とする基準をいう。

ま と め

① 財務諸表の体系
　１）会社法会計における財務諸表（計算書類等）の体系
　　→貸借対照表、損益計算書、株主資本等変動計算書、注記表、事業報告、附属明細書
　２）金融商品取引法会計における財務諸表の体系
　　→貸借対照表、損益計算書、株主資本等変動計算書、キャッシュ・フロー計算書、附属明細表
② 損益計算書の本質→一会計期間における企業の経営成績を明らかにするもの
③ 損益計算書の作成の考え方→当期業績主義、包括主義
④ 損益計算書の作成原則→総額主義の原則、費用収益対応表示の原則、区分表示の原則
⑤ 貸借対照表の本質→一定時点における企業の財政状態を明らかにするもの
⑥ 貸借対照表の機能
　１）期間損益計算の連結機能→実質面（計算）に関する機能
　２）財政状態表示機能→形式面（表示）に関する機能
⑦ 貸借対照表完全性（網羅性）の原則
　１）一定時点で保有するすべての資産、負債および純資産をもれなく完全に、貸借対照表に記載
　２）例外→重要性の原則により、簿外資産・簿外負債の存在が

認められる

⑧　貸借対照表の作成原則→総額主義の原則、区分表示の原則、配列方法（流動性配列法、固定性配列法）、科目の分類基準

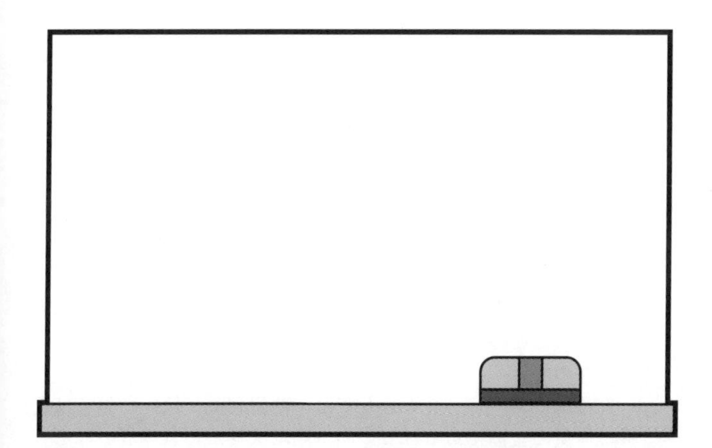

学習度チェック

13　財務諸表論の全体構造Ⅱ

重要度B ★★

●学習のポイント●

① 収益費用アプローチと資産負債アプローチについて、それぞれの内容を理解する
② 資産負債アプローチのもとでの資産および負債の意義を覚える
③ 割引現価主義の内容を理解する
④ クリーン・サープラス関係について理解する

概　要

近年において会計思考は、従来の企業の収益力を明らかにするための損益計算重視の思考（収益費用アプローチ）から、企業価値を明らかにするためのストック、すなわち純資産計算重視の思考（資産負債アプローチ）に移行してきている。これに伴い、利益計算のアプローチや資産、負債に関する概念も従来の伝統的な会計理論とは異なる考え方が提唱されている。

収益費用アプローチと資産負債アプローチ

① 収益費用アプローチ

1）会計の目的・計算の重点

収益費用アプローチとは、企業の収益力（企業業績）を明らかにするため、収益・費用を重視する思考であり、企業の損益計算を計算の重点とするものである。

2）利益の計算

収益費用アプローチのもとでは、期間利益（純利益）は収益と費用の差額により計算される。

② 資産負債アプローチ

1）会計の目的・計算の重点

資産負債アプローチとは、企業の価値を明らかにするため、資産・負債を重視する思考であり、企業の純資産計算を計算の重点とするものである。

2）利益の計算

資産負債アプローチのもとでは、期間利益（包括利益）は資産と負債の差額である純資産の当期増減額から資本取引の影響

による増減額を排除することにより計算される。

資産の意義

資産とは、過去の取引または事象の結果として、報告主体が支配している経済的資源をいう。

※　伝統的な会計理論のもとでは、資産は一定時点における企業資本の運用形態と捉えられていたが、近年における会計思考の変化とともに、資産の考え方も従来のそれとは異なる考え方が示されるようになってきている。

負債の意義

負債とは、過去の取引または事象の結果として、報告主体が支配している経済的資源を放棄もしくは引き渡す義務、またはその同等物をいう。

※　伝統的な会計理論のもとでは、負債は一定時点における企業資本の調達源泉で弁済義務を負うものと捉えられていたが、近年における会計思考の変化とともに、負債の考え方も従来のそれとは異なる考え方が示されるようになってきている。

割引現価主義

①　意　義

割引現価主義とは、当該資産または負債から生じる各期間の将来キャッシュ・フローを一定の利子率で割り引いた現在価値の総和をもって資産または負債の評価額とする会計思考である。

②　割引現価主義の論拠

資産を経済的資源、負債を経済的資源を放棄もしくは引き渡す義務またはその同等物とみる資産・負債概念に立てば、当該資産・負債から生じるであろうキャッシュ・フローを現在価値に割り引いた額をもって評価することで、資産・負債の本質と評価が会計理論的に一貫したものとなると考えられるためである。

③　割引現価主義の欠陥または問題点

将来キャッシュ・フローの予測および割引率の選択に不確実性があり、経営者の恣意性が介入する可能性がある。

クリーン・サープラス関係

クリーン・サープラス関係とは、ある期間における資本の増減（資本取引による増減を除く。）が当該期間の利益と等しくなる関係をいう。

収益費用アプローチにおいても資産負債アプローチにおいてもク

リーン・サープラス関係は成立する。

重要語句解説

●収益費用アプローチ

収益費用アプローチとは、企業の収益力（業績）を明らかにするため、収益・費用を重視する思考である。それゆえ、収益費用アプローチのもとでは、収益・費用の認識・測定が重要なテーマとなる。

一般に、企業会計原則および伝統的な会計理論が採っているアプローチが収益費用アプローチである。

●資産負債アプローチ

資産負債アプローチとは、企業の価値を明らかにするため、資産・負債を重視する思考である。企業の価値は貸借対照表上の資産から負債を差し引いた純資産がそれを表すため、資産負債アプローチのもとでは純資産を求める要素となる資産・負債の認識・評価が重要なテーマとなる。

このような資産負債アプローチの考え方は、近年、アメリカをはじめとして、国際的にも主流となっており、「税効果会計に係る会計基準」や「金融商品に関する会計基準」においても一部その考え方が導入されている。

●経済的資源

経済的資源とは、「キャッシュの獲得に貢献する便益の源泉（キャッシュ・フローを獲得する能力を有するもの）」を意味する。よって、実物財に限らず金融資産およびそれらとの同等物などもキャッシュをもたらす能力があれば、経済的資源に含まれる。

まとめ

① 収益費用アプローチ
　1）収益・費用を重視する思考
　2）企業の収益力の開示、損益計算を重視
　3）期間利益（純利益）は収益と費用の差額により計算
② 資産負債アプローチ
　1）資産・負債を重視する思考
　2）企業の価値の開示、純資産計算を重視
　3）期間利益（包括利益）は純資産の当期増減額から資本取引の影響による増減額を排除することにより計算
③ 資産の意義→報告主体が支配している経済的資源
④ 負債の意義→報告主体が支配している経済的資源を放棄もしくは引き渡す義務、またはその同等物
⑤ 割引現価主義
　1）意義→資産または負債から生じる各期間の将来キャッシュ・フローを一定の利子率で割り引いた現在価値の総和をもって評価する会計思考
　2）論拠→資産・負債の本質と評価が会計理論的に一貫したものとなる
　3）問題点→将来キャッシュ・フローの予測および割引率の選択に不確実性があり、経営者の恣意性が介入する可能性がある
⑥ クリーン・サープラス関係
　資本取引がなかった場合に期間損益と資本の増減が一致する関係

学習度チェック

14　財務会計の概念フレームワーク

重要度C
★

●学習のポイント●

① 財務会計の概念フレームワークに示されている考え方を理解する
② 財務諸表の各構成要素の内容を理解する

概念フレームワークの概要

① 役　割

概念フレームワークは、現行企業会計の基礎にある前提や概念を体系化したものであり、将来の基準設定に指針を提供する役割および海外の基準設定主体とのコミュニケーションを円滑にする役割が期待されるものである。

② 特　徴

1）純利益が会計情報の中心である（純利益重視の思考）。
2）収益費用アプローチと資産負債アプローチを使い分けている。

財務報告の目的

財務報告の目的は、投資家による企業成果の予測と企業価値の評価に役立つような企業の財務状況の開示、すなわち、自己の責任で将来を予測し投資の判断をする人々のために、企業の投資のポジション（ストック）とその成果（フロー）を開示することにある。

会計情報の質的特性

① 会計情報の基本的な特性（意思決定有用性）

投資者が企業の不確実な成果を予測するのに有用であるという特性をいう。

② 意思決定有用性を支える特性

1）意思決定との関連性

意思決定との関連性とは、会計情報が将来の投資の成果についての予測に関連する内容を含んでおり、企業価値の推定を通じた投資者による意思決定に積極的な影響を与えて貢献するという特性である。

2）信頼性

信頼性とは、中立性・検証可能性・表現の忠実性などに支えられ、会計情報が信頼に足る情報であるという特性である。

③ **一般的制約となる特性**

1）内的整合性

内的整合性は、現行基準の体系と矛盾しない個別基準を採用するよう要請するものである。

2）比較可能性

同一企業の会計情報を時系列で比較する場合、あるいは、同一時点の会計情報を企業間で比較する場合、それらの比較に障害とならないように会計情報が作成されていることを要請するものである。

財務諸表の構成要素

① **資　産**

資産とは、過去の取引または事象の結果として、報告主体が支配している経済的資源をいう。

② **負　債**

負債とは、過去の取引または事象の結果として、報告主体が支配している経済的資源を放棄もしくは引き渡す義務、またはその同等物をいう。

③ **純資産**

純資産とは、資産と負債の差額をいう。

④ **株主資本**

株主資本とは、純資産のうち報告主体の所有者である株主に帰属する部分をいう。

⑤ **包括利益**

包括利益とは、特定期間における純資産の変動額のうち、報告主体の所有者である株主、子会社の少数株主、および将来それらになり得るオプションの所有者との直接的な取引によらない部分をいう。

⑥ **純利益**

純利益とは、特定期間の期末までに生じた純資産の変動額（報告主体の所有者である株主、子会社の少数株主、および将来それらになり得るオプションの所有者との直接的な取引による部分を除く。）のうち、その期間中にリスクから解放された投資の成果であって、報告主体の所有者に帰属する部分をいう。

⑦ **（投資の）リスクからの解放**

（投資の）リスクからの解放とは、投資にあたって期待された成果が事実として確定することをいう。

⑧　**収　益**

収益とは、特定期間の期末までに生じた資産の増加や負債の減少に見合う額のうち、投資のリスクから解放された部分である。

⑨　**費　用**

費用とは、特定期間の期末までに生じた資産の減少や負債の増加に見合う額のうち、投資のリスクから解放された部分である。

⑩　**包括利益と純利益の関係**

包括利益のうち、投資のリスクから解放されていない部分を除き、過年度に計上された包括利益のうち期中に投資のリスクから解放された部分を加え、少数株主損益を控除すると、純利益が求められる。

重要語句解説

●事業投資における（投資の）リスクからの解放
事業のリスクに拘束されない独立の資産を獲得したとみなすことができる事実。

●金融投資における（投資の）リスクからの解放
事業の目的に拘束されず、保有資産の値上りを期待した金融投資に生じる価値の変動事実。

まとめ

①　概念フレームワークの概要
1）役割→基準設定の指針を提供すること、および海外の基準設定主体とのコミュニケーションを円滑にすること
2）特　徴
イ）純利益重視の思考
ロ）収益費用アプローチと資産負債アプローチの使い分け

②　財務報告の目的→企業成果の予測、企業価値の評価に役立つような企業の財務状況の開示

③　会計情報の質的特性
1）会計情報の基本的特性→意思決定有用性
2）意思決定有用性を支える特性→意思決定との関連性、信頼性
3）一般的制約となる特性→内的整合性、比較可能性

④　財務諸表の構成要素

1）各構成要素の意義

2）包括利益と純利益の関係

※　平成25年9月に「連結財務諸表に関する会計基準」が改正されている。これにより「少数株主」が「非支配株主」とされるなどの改正が行われているが、「概念フレームワーク」において修正は行われていない。

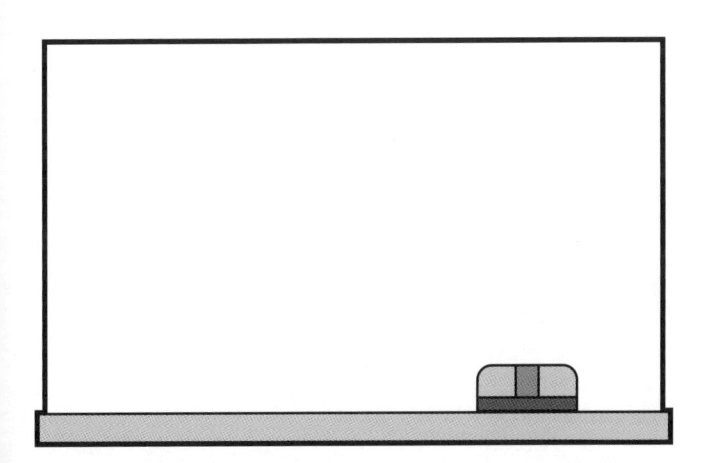

学習度チェック

15　金融基準

重要度A ★★★

●学習のポイント●

① 金融資産・金融負債の範囲を明確にする
② 金融資産・金融負債の発生および消滅の認識を把握する
③ 金融資産の評価基準の概要を理解する
④ 金銭債権の評価および有価証券の評価は、計算とあわせて確実にマスターする
⑤ デリバティブ取引の内容を理解する

金融資産・金融負債の範囲

① 金融資産

金融資産とは、現金預金、金銭債権、有価証券およびデリバティブ取引により生じる正味の債権等をいう。

② 金融負債

金融負債とは、金銭債務およびデリバティブ取引により生じる正味の債務等をいう。

金融資産・金融負債の発生の認識

① 金融資産・金融負債の発生の認識

金融資産の契約上の権利または金融負債の契約上の義務を生じさせる契約を締結したときは、原則として、当該金融資産または金融負債の発生を認識しなければならない。

② 理　由

金融資産または金融負債自体を対象とする取引については、当該取引の契約時から当該金融資産または金融負債の時価の変動リスクや契約の相手方の財政状態等に基づく信用リスクが契約当事者に生じるため、契約締結時においてその発生を認識するのである。

金融資産・金融負債の消滅の認識

① 金融資産の消滅の認識

金融資産の契約上の権利を行使したとき、権利を喪失したときまたは権利に対する支配が他に移転したときは、当該金融資産の消滅を認識しなければならない。

② **金融負債の消滅の認識**

金融負債の契約上の義務を履行したとき、義務が消滅したときまたは第一次債務者の地位から免責されたときは、当該金融負債の消滅を認識しなければならない。

③ **条件付の金融資産の譲渡に係る支配の移転**

1）リスク・経済価値アプローチ

リスク・経済価値アプローチは、金融資産のリスクと経済価値のほとんどすべてが他に移転した場合に当該金融資産の消滅を認識する方法である。

2）財務構成要素アプローチ

財務構成要素アプローチは、金融資産を構成する財務的要素（財務構成要素）に対する支配が他に移転した場合に、当該移転した財務構成要素の消滅を認識し、留保される財務構成要素の存続を認識する方法である。

3）「金融基準」が採用する方法

イ）「金融基準」が採用する方法

「金融基準」では、財務構成要素アプローチを採用している。

ロ）理　由

リスク・経済価値アプローチでは金融資産を財務構成要素に分解して支配の移転を認識することができず、取引の実質的な経済効果が譲渡人の財務諸表に反映されないためである。

金融資産の評価に関する基本的考え方

時価による自由な換金・決済等が可能な金融資産については、時価評価し適切に財務諸表に反映することが必要である。

① **金融資産の特性**

金融資産の特性は、一般的に、市場が存在すること等により客観的な価額として時価を把握できるとともに、当該価額により換金・決済等を行うことが可能であるという点にある。

② **時価評価の必要性**

時価による自由な換金・決済等が可能な金融資産については、投資情報としても、企業の財務認識としても、さらに、国際的調和化の観点からも、これを時価評価し適切に財務諸表に反映することが必要であると考えられる。

③ **保有目的に応じた処理方法の必要性**

保有目的等をまったく考慮せずに時価評価を行うことが、必ずしも、企業の財政状態および経営成績を適切に財務諸表に反映させることにならないと考えられることから、時価評価を基本としつつ保有目的に応じた処理方法を定めることが適当であると考えられる。

金銭債権・債務

① 金銭債権

1）金銭債権の貸借対照表価額

受取手形、売掛金、貸付金その他の債権の貸借対照表価額は、取得価額から貸倒見積高に基づいて算定された貸倒引当金を控除した金額とする。

ただし、債権を債権金額より低い価額または高い価額で取得した場合において、取得価額と債権金額との差額の性格が金利の調整と認められるときは、償却原価法に基づいて算定された価額から貸倒見積高に基づいて算定された貸倒引当金を控除した金額としなければならない。

2）時価評価を行わない理由

金銭債権については、一般的に、活発な市場がない場合が多いためである。このうち、受取手形や売掛金は、通常、短期的に決済されることが予定されており、帳簿価額が時価に近似しているものと考えられ、また、貸付金等の債権は、時価を容易に入手できない場合や売却することを意図していない場合が少なくないと考えられるので、金銭債権については、原則として時価評価は行わないこととした。

② 金銭債務

1）金銭債務の貸借対照表価額

支払手形、買掛金、借入金、社債その他の債務は、債務額をもって貸借対照表価額とする。

ただし、社債を社債金額よりも低い価額または高い価額で発行した場合など、収入に基づく金額と債務額とが異なる場合には、償却原価法に基づいて算定された価額をもって、貸借対照表価額としなければならない。

2）時価評価を行わない理由

金銭債務は、一般的には市場がないか、社債のように市場があっても、自己の発行した社債を時価により自由に清算するには事業遂行上等の制約があると考えられるので、時価評価を行わないこととした。

売買目的有価証券

① **意　義**

売買目的有価証券とは、時価の変動により利益を得ることを目的として保有する有価証券をいう。

② **評価および評価差額の取扱い**

売買目的有価証券については、期末時点の時価をもって貸借対照表価額とし、評価差額は当期の損益として処理する。

③ **時価評価を行う理由**

売買目的有価証券については、投資者にとっての有用な情報は有価証券の期末時点での時価に求められると考えられるため、時価をもって貸借対照表価額とする。

④ **評価差額を当期の損益とする理由**

売買目的有価証券は、売却することについて事業遂行上等の制約がなく、時価の変動にあたる評価差額が企業にとっての財務活動の成果と考えられることから、その評価差額は当期の損益として処理する。

⑤ **評価損益の計上根拠（④以外）**

1）実現可能概念

売買目的有価証券は、いつでも売却可能な市場が存在し、そこにおいて随時換金可能であり、売却することについて事業遂行上等の制約がないものと認められることから、当該有価証券に係る評価差額は、実現したものではないが、実現の要件をほぼ満たすものであるため、実現損益に準ずる性格のものとして当期の損益として認識される。

2）投資のリスクからの解放

売買目的有価証券については、時価の変動により利益を得ることを期待して投資したものであり、時価の変動が生じた時点で、投資にあたって期待された成果が事実として確定し、投資のリスクから解放されることから、当期の損益として認識される。

満期保有目的の債券

① **意　義**

満期保有目的の債券とは、企業が満期まで所有する意図をもって保有する社債その他の債券をいう。

② **評　価**

満期保有目的の債券については、取得原価をもって貸借対照表価額とする。ただし、債券を債券金額より低い価額または高い価額で取得した場合において、取得価額と債券金額との差額の性格が金利の調整と認められるときは、償却原価法に基づいて算定された価額をもって貸借対照表価額としなければならない。

③　**時価評価を行わない理由**

満期保有目的の債券については、時価が算定できるものであっても、満期まで保有することによる約定利息および元本の受取りを目的としており、満期までの間の金利変動による価格変動のリスクを認める必要がないことから、原則として、取得原価または償却原価法に基づいて算定された価額をもって貸借対照表価額とする。

子会社株式および関連会社株式

①　**評　価**

子会社株式および関連会社株式については、取得原価をもって貸借対照表価額とする。

②　**時価評価を行わない理由**

子会社株式については、事業投資と同じく時価の変動を財務活動の成果とは捉えないという考え方に基づき、取得原価をもって貸借対照表価額とする。

また、関連会社株式については、他企業への影響力の行使を目的として保有する株式であることから、子会社株式の場合と同じく事実上の事業投資と同様の会計処理を行うことが適当であるため、取得原価をもって貸借対照表価額とする。

その他有価証券

①　**意　義**

その他有価証券とは、売買目的有価証券、満期保有目的の債券、子会社株式および関連会社株式以外の有価証券をいう。

②　**評価および評価差額の取扱い**

その他有価証券については、時価をもって貸借対照表価額とし、評価差額は洗い替え方式に基づき、次のいずれかの方法により処理する。

1）評価差額の合計額を純資産の部に計上する。

2）時価が取得原価を上回る銘柄に係る評価差額は純資産の部に計上し、時価が取得原価を下回る銘柄に係る評価差額は当期の損失として処理する。

なお、純資産の部に計上されるその他有価証券の評価差額については、税効果会計を適用しなければならない。

③　**時価評価を行う理由**

その他有価証券については、投資情報としても、企業の財務認識としても、さらに、国際的調和化の観点からも、これを時価評価し適切に財務諸表に反映することが必要である。

④ **評価差額を当期の損益としない理由**

その他有価証券については、事業遂行上等の必要性から直ちに売買・換金を行うことには制約を伴う要素もあり、評価差額を直ちに当期の損益として処理することは適切ではないため、評価差額を当期の損益として処理することなく、税効果を調整の上、純資産の部に記載する。

ただし、企業会計上、保守主義の観点から、これまで認められていた低価法による評価の考え方を考慮し、部分純資産直入法を適用して、時価が取得原価を下回る銘柄の評価差額は損益計算書に計上することもできることとした。

市場価格のない株式等

評価

市場価格のない株式は、取得原価をもって貸借対照表価額とする。

有価証券の減損処理

時価が著しく下落した場合等には、それぞれ次のように処理する。

① 満期保有目的の債券、子会社株式及び関連会社株式並びにその他有価証券のうち、市場価格のない株式等以外のものについて時価が著しく下落したときは、回復する見込があると認められる場合を除き、時価をもって貸借対照表価額とし、評価差額は当期の損失として処理しなければならない。

② 市場価格のない株式等については、発行会社の財政状態の悪化により実質価額が著しく低下したときは、相当の減額をなし、評価差額は当期の損失として処理しなければならない。

デリバティブ取引

① **デリバティブ取引の特徴**

デリバティブ取引とは、取引により生じる正味の債権または債務の時価の変動により保有者が利益を得または損失を被るものをいう。

② **評価および評価差額の取扱い**

デリバティブ取引により生じる正味の債権および債務については、時価をもって貸借対照表価額とし、評価差額は、原則として、当期の損益として処理する。

③ **評価の取扱いの理由**

投資者および企業双方にとって意義を有する価値は当該正味の

債権または債務の時価に求められると考えられるためである。

④　**評価差額の取扱いの理由**

デリバティブ取引により生じる正味の債権および債務の時価の変動は、企業にとって財務活動の成果であると考えられるためである。

ヘッジ会計

①　**概　要**

1）意　義

ヘッジ会計とは、ヘッジ取引のうち一定の要件を充たすものについて、ヘッジ対象に係る損益とヘッジ手段に係る損益を同一の会計期間に認識し、ヘッジの効果を会計に反映させるための特殊な会計処理をいう。

2）採用理由

ヘッジ会計を適用することで、ヘッジ対象及びヘッジ手段に係る損益を期間的に合理的に対応させ、ヘッジ対象の相場変動等による損失の可能性がヘッジ手段によってカバーされているという経済的実態を財務諸表に反映させるためである。

②　**ヘッジ会計の方法**

ヘッジ会計の方法には、繰延ヘッジと時価ヘッジがあり、繰延ヘッジを原則とする。

1）繰延ヘッジ

繰延ヘッジとは、時価評価されているヘッジ手段に係る損益又は評価差額を、ヘッジ対象に係る損益が認識されるまで純資産の部において繰り延べる方法である。

2）時価ヘッジ

時価ヘッジとは、ヘッジ対象である資産又は負債に係る相場変動等を損益に反映させることにより、その損益とヘッジ手段に係る損益とを同一の会計期間に認識する方法である。

重要語句解説

●取得価額

取得価額とは、金融資産の取得時に当たって支払った対価の支払時の時価に手数料その他の付随費用を加算したものをいう。

●取得原価

取得原価とは、一定時点における同一銘柄の金融資産の取得価額の合計額から、前回計算時点より当該一定時点までに売却した部分に一定の評価方法を適用して計算した売却原価を控除した価額をいう。

●償却原価法

償却原価法とは、金融資産または金融負債を債権額または債務額と異なる金額で計上した場合において、当該差額に相当する金額を弁済期または償還期に至るまで毎期一定の方法で取得価額に加減する方法をいう。

ま と め

① 金融資産・金融負債の範囲

1）金融資産→現金預金、金銭債権、有価証券およびデリバティブ取引により生じる正味の債権等

2）金融負債→金銭債務およびデリバティブ取引により生じる正味の債務等

② 金融資産・金融負債の発生の認識

1）発生の認識→金融資産の契約上の権利または金融負債の契約上の義務を生じさせる契約を締結したとき

2）理由→契約時から時価の変動リスクや契約相手方の財政状態等に基づく信用リスクが契約当事者に生じるため

③ 金融資産・金融負債の消滅の認識

1）金融資産の消滅の認識→契約上の権利を行使したとき、権利を喪失したときまたは権利に対する支配が他に移転したとき

2）金融負債の消滅の認識→契約上の義務を履行したとき、義務が消滅したときまたは第一次債務者の地位から免責されたとき

④ 金融資産の評価

1）時価評価の必要性

イ）投資情報の観点

ロ）企業の財務認識の観点

ハ）国際的調和化の観点

2）保有目的に応じた評価の必要性→保有目的等をまったく考慮せずに時価評価を行うことは、必ずしも、企業の財政状態および経営成績を適切に財務諸表に反映させることにならないため

⑤　金銭債権の評価

1）評価→取得価額または償却原価法に基づいて算定された価額から貸倒引当金を控除した額

2）時価評価しない理由→一般に、活発な市場がなく、時価を容易に入手できない場合等が少なくないため

⑥　金銭債務の評価

1）金銭債務の評価

イ）債務額

ロ）社債について収入額と債務額が異なる場合→償却原価法を適用

2）時価評価しない理由→一般に市場がない。自己の発行した社債を自由に清算するには事業遂行上等の制約がある

⑦　売買目的有価証券

1）評価→時価をもって貸借対照表価額とする

2）評価差額→当期の損益として処理

3）時価評価の理由→投資者にとっての有用な情報は期末時点での時価に求められる

4）評価差額を当期の損益とする理由→売却することに事業遂行上の制約がなく、評価差額が企業にとっての財務活動の成果と考えられる

⑧　満期保有目的の債券

1）評　価

イ）取得原価をもって貸借対照表価額とする

ロ）債券金額より低い価額または高い価額で取得した場合で、差額が金利の調整に該当する場合は、償却原価法に基づいて算定された価額

2）時価評価しない理由→約定利息および元本の受取りを目的としており、金利変動による価格変動リスクを認める必要がない

⑨　子会社株式および関連会社株式

1）評価→取得原価をもって貸借対照表価額とする

2）時価評価しない理由→事業投資と同様に時価の変動を財務

活動の成果とは捉えないため

⑩　その他有価証券

1）評価→時価をもって貸借対照表価額とする

2）評価差額→洗い替え方式に基づいて、税効果会計適用の上、全部純資産直入法または部分純資産直入法により処理

3）時価評価の理由

イ）投資情報の観点

ロ）企業の財務認識の観点

ハ）国際的調和化の観点

4）評価差額を当期の損益としない理由→事業遂行上等の必要性から直ちに売買・換金を行うことには制約を伴う要素もあるため

⑪　市場価格のない株式等

1）評価→取得原価をもって貸借対照表価額とする

⑫　有価証券の減損処理

1）強制評価減

イ）適用対象→満期保有目的の債券、子会社株式及び関連会社株式並びにその他有価証券のうち、市場価格のない株式等以外のもの

ロ）適用要件→時価が著しく下落し、かつ、回復する見込がないまたは不明の場合

ハ）評価→時価

2）実価法

イ）適用対象→市場価格のない株式等

ロ）適用要件→実質価額が著しく下落したとき

ハ）評価→実質価額

⑬　デリバティブ取引

1）評価→時価をもって貸借対照表価額とする

2）評価差額→当期の損益として処理

3）時価評価の理由→投資者および企業双方にとって意義を有する価値は時価に求められる

4）評価差額を当期の損益とする理由→企業にとっての財務活動の成果と考えられる

⑭　ヘッジ会計

1）繰延ヘッジ→ヘッジ手段の損益をヘッジ対象の損益に合わせる

2）時価ヘッジ→ヘッジ対象の損益をヘッジ手段の損益に合わせる

16　リース基準

重要度B
★★

●学習のポイント●

① ファイナンス・リース取引の内容を押さえる
② リース資産の取得原価の決定は、計算とあわせてしっかりと理解する

ファイナンス・リース取引

① 意　義

ファイナンス・リース取引とは、リース期間の中途において当該契約を解除することができないリース取引またはこれに準ずるリース取引で、借手が、リース物件からもたらされる経済的利益を実質的に享受することができ、かつ、当該リース物件の使用に伴って生ずるコストを実質的に負担することとなるリース取引をいう。

② 判定基準

次のいずれかに該当する場合には、ファイナンス・リース取引と判定される。

1）現在価値基準

解約不能のリース期間中のリース料総額の現在価値が、当該リース物件を借手が現金で購入するものと仮定した場合の合理的見積金額（以下「見積現金購入価額」という。）の概ね90パーセント以上であること

2）経済的耐用年数基準

解約不能のリース期間が、当該リース物件の経済的耐用年数の概ね75パーセント以上であること

オペレーティング・リース取引

オペレーティング・リース取引とは、ファイナンス・リース取引以外のリース取引をいう。

ファイナンス・リース取引の会計処理

ファイナンス・リース取引は、リース取引の借手によるリース物件の割賦購入又は借入資金によるリース物件の購入取引とみることができ、その経済的実態が売買取引と考えられるため、売買取引に

係る方法に準じて会計処理を行う。

減価償却方法

① 所有権移転ファイナンス・リース取引に係るリース物件の償却方法

所有権移転ファイナンス・リース取引については、リース物件の取得と同様の取引と考えられるため、自己所有の固定資産と同一の方法により減価償却費を算定することとした。

② 所有権移転外ファイナンス・リース取引に係るリース物件の償却方法

所有権移転外ファイナンス・リース取引については、リース物件の取得とは異なりリース物件を使用できる期間がリース期間に限定されるという特徴があるため、原則として、リース資産の償却期間はリース期間とし、残存価額はゼロとしている。

リース資産

リース資産の資産性

リース資産は、リース契約により、借手がリース資産の使用収益によって経済的利益を享受する権利を有することから、資産性が認められる。

リース債務

リース債務の負債性

リース債務は、ファイナンス・リースが中途解約が不能であるため、借手は実質的にリース債務の支払義務を負うことになることから、負債性が認められる。

リース資産・リース債務計上額の算定

リース資産およびリース債務の計上額を算定するにあたっては、原則として、リース契約締結時に合意されたリース料総額からこれに含まれている利息相当額の合理的な見積額を控除する方法による。当該利息相当額については、原則として、リース期間にわたり利息法により配分する。

重要語句解説

●ノンキャンセラブル

ノンキャンセラブルとは、リース契約に基づくリース期間の中途において当該契約を解除することができない、または、法的形式上は解約可能であるとしても、解約に際し、相当の違約金を支払わなければならない等の理由から事実上解約不能と認められることをいう。

●フルペイアウト

フルペイアウトとは、借手が、リース契約に基づき使用する物件からもたらされる経済的利益を実質的に享受することができ、かつ、当該リース物件の使用に伴って生ずるコストを実質的に負担することをいう。

ま と め

① ファイナンス・リース取引

1）ファイナンス・リース取引→ノンキャンセラブル、フルペイアウトの2つの要件を満たすリース取引

2）経済的実態→リース物件の割賦購入または借入資金によるリース物件の購入取引

3）売買取引に係る方法に準じて会計処理

② リース資産・リース債務計上額の算定

リース料総額－利息相当額＝取得原価相当額

MEMO

学習度チェック

17　減損基準

重要度A ★★★

●学習のポイント●

① 減損処理の意義及び目的を押さえる
② 金融商品に適用される時価評価とは異なるという点を理解する
③ 減損処理の会計手続を理解する
④ 減損処理の問題点を理解する

減損処理の意義

固定資産の減損とは、固定資産の収益性の低下により投資額の回収が見込めなくなった状態であり、減損処理とは、そのような場合に、一定の条件の下で回収可能性を反映させるように帳簿価額を減額する会計処理である。

減損会計の目的

固定資産の減損処理は、取得原価基準の下で回収可能性を反映させるように過大な帳簿価額を減額し、将来に損失を繰り延べないために行われる会計処理である。

減損処理と時価評価の相違

減損処理は、金融商品に適用されている時価評価とは異なり、資産価値の変動によって利益を測定することや、決算日における資産価値を貸借対照表に表示することを目的とするものではなく、取得原価基準の下で行われる帳簿価額の臨時的な減額である。

会計手続の流れ

① 適用対象資産

減損会計の適用対象資産は、固定資産に分類される資産であり、有形固定資産に属する建物・機械装置・土地等、無形固定資産に属するのれん等、さらに投資その他の資産に属する投資不動産が適用対象となる。

② 減損の兆候がある場合に減損損失の認識を判定する理由

対象資産すべてについて減損損失の認識の判定を行うことが、実務上、過大な負担となるおそれがあることを考慮したためである。

③　**相当程度に確実な場合に限って減損損失が認識される理由**

減損損失の測定は、将来キャッシュ・フローの見積りに大きく依存する。将来キャッシュ・フローが約定されている場合の金融資産と異なり、成果の不確定な事業用資産の減損は、測定が主観的にならざるを得ないためである。

④　**減損損失の認識**

割引前将来キャッシュ・フローの総額が帳簿価額を下回る場合に減損損失を認識する。

⑤　**減損損失の測定**

1）測　定

帳簿価額を回収可能価額まで減額し、当該減少額を減損損失として当期の損失とする。

回収可能価額とは、売却による回収額である正味売却価額と使用による回収額である使用価値のいずれか高い金額をいう。

2）正味売却価額

正味売却価額とは、資産又は資産グループの時価から処分費用見込額を控除して算定される金額をいう。

3）使用価値

使用価値とは、資産又は資産グループの継続的使用と使用後の処分によって生ずると見込まれる将来キャッシュ・フローの現在価値をいう。

4）使用価値の算定に際して用いられる割引率

使用価値の算定に際して用いられる割引率は、貨幣の時間価値を反映した税引前の利率とする。資産又は資産グループに係る将来キャッシュ・フローがその見積値から乖離するリスクが、将来キャッシュ・フローの見積りに反映されていない場合には割引率に反映させる。

⑥　**減損処理後の会計処理（減損損失の戻入れが行われない理由）**

「減損基準」では、減損の存在が相当程度確実な場合に限って減損損失を認識及び測定することとしていること、また、戻入れは事務的負担を増大させるおそれがあることなどから、減損損失の戻入れは行わないこととした。

「減損基準」における減損処理の問題点

減損処理は、本来、投資期間全体を通じた投資額の回収可能性を評価し、投資額の回収が見込めなくなった時点で、将来に損失を繰り延べないために帳簿価額を減額する会計処理であるにもかかわらず、「減損基準」では、期末の帳簿価額を将来の回収可能性に照らして見直しており、収益性の低下による減損損失を正しく認識することはできない。

まとめ

① 減損処理

1）減損とは、収益性の低下により投資額の回収が見込めなくなった状態

2）その場合に、回収可能性を反映させるように帳簿価額を減額する会計処理が減損処理

② 目　的

事業用資産の過大な帳簿価額を減額→将来に損失を繰延べない

③ 金融商品の時価評価との違い

減損処理は、取得原価基準の下で行われる帳簿価額の臨時的な減額

④ 減損処理の問題点

「減損基準」では、期末の帳簿価額を将来の回収可能性に照らして見直しており、収益性の低下による減損損失を正しく認識することはできない

MEMO

学習度チェック

18　棚卸資産基準

重要度A ★★★

●学習のポイント●

① 通常の販売目的で保有する棚卸資産の評価および評価差額の取扱方法について理解する
② 棚卸資産について収益性の低下を判断し、簿価の切下げを行う理由を理解する
③ トレーディング目的で保有する棚卸資産の評価および評価差額の取扱方法について理解する

通常の販売目的で保有する棚卸資産の評価

① 評価および評価差額の取扱い

通常の販売目的（販売するための製造目的を含む。）で保有する棚卸資産は、取得原価をもって貸借対照表価額とし、期末における正味売却価額が取得原価よりも下落している場合には、当該正味売却価額をもって貸借対照表価額とする。この場合において、取得原価と当該正味売却価額との差額は当期の費用として処理する。

② 棚卸資産の簿価切下げの考え方

収益性が低下した場合における簿価切下げは、取得原価基準の下で回収可能性を反映させるように、過大な帳簿価額を減額し、将来に損失を繰り延べないために行われる会計処理である。

③ 棚卸資産の収益性の低下の判断

棚卸資産の場合、通常販売によってのみ資金の回収を図ることから、棚卸資産の正味売却価額が帳簿価額を下回る場合に、収益性の低下を判断する。

④ 再調達原価が認められる場合

製造業における原材料等のように再調達原価の方が把握しやすく、正味売却価額が当該再調達原価に歩調を合わせて動くと想定される場合である。

トレーディング目的で保有する棚卸資産の評価

① 評価および評価差額の取扱い

トレーディング目的で保有する棚卸資産については、時価をもって貸借対照表価額とし、帳簿価額との差額（評価差額）は、当期

の損益として処理する。

② **評価の理由**

トレーディング目的で保有する棚卸資産については、投資者にとっての有用な情報は棚卸資産の期末時点の市場価格に求められると考えられることから、時価をもって貸借対照表価額とする。

③ **評価差額の理由**

トレーディングを目的に保有する棚卸資産は、売買・換金に対して事業遂行上等の制約がなく、市場価格の変動にあたる評価差額が企業にとっての投資活動の成果と考えられることから、その評価差額は当期の損益として処理する。

重要語句解説

●正味売却価額

正味売却価額とは、売価から見積追加製造原価および見積販売直接経費を控除したものをいう。

●再調達原価

再調達原価とは、購買市場の時価に購入に付随する費用を加算したものをいう。

ま と め

① 通常の販売目的で保有する棚卸資産
 1）評価→取得原価をもって貸借対照表価額とし、正味売却価額が取得原価よりも下落している場合には、正味売却価額をもって貸借対照表価額とする
 2）評価差額→当期の費用として処理
 3）簿価切下げの考え方→過大な帳簿価額を減額し、将来に損失を繰り延べないため
 4）収益性低下の判断→正味売却価額が帳簿価額を下回った場合

② トレーディング目的で保有する棚卸資産
 1）評価→時価をもって貸借対照表価額とする
 2）評価差額→当期の損益として処理
 3）評価の理由→投資者にとっての有用な情報は期末時点での市場価格に求められる
 4）評価差額の理由→売買・換金に対して事業遂行上の制約がなく、評価差額が企業にとっての投資活動の成果と考えられる

学習度チェック

19 研究開発基準（ソフトウェア含む）

重要度C ★

●学習のポイント●

① 研究開発費を発生時に費用処理する根拠を理解する
② ソフトウェアの会計処理を制作目的別に会計処理する理由を理解する
③ 制作目的別のソフトウェアの会計処理方法を理解する

研究開発費

① 研究開発費の意義

研究開発費とは、新しい知識の発見を目的とした計画的な調査、探究および新しい製品、サービス、生産方法についての計画もしくは設計または既存の製品等を著しく改良するための計画もしくは設計として、研究の成果その他の知識を具体化することに係る費用をいう。

② 発生時費用処理の根拠

1）研究開発費は、発生時には将来の収益を獲得できるか否か不明であり、また、研究開発計画が進行し、将来の収益の獲得期待が高まったとしても、依然としてその獲得が確実であるとはいえないからである。

2）資産計上の要件を定める場合にも、客観的に判断可能な要件を規定することは困難であり、抽象的な要件のもとで資産計上を行うことは、企業間の比較可能性を損なうこととなるからである。

ソフトウェア

① 意　義

ソフトウェアとは、コンピュータを機能させるように指令を組み合わせて表現したプログラム等をいう。

② ソフトウェア制作費を制作目的別に会計処理する理由

ソフトウェア制作費は、その制作目的により、将来の収益との対応関係が異なること等から、取得形態別ではなく、制作目的別に会計処理する。

③ 受注制作のソフトウェア

受注制作のソフトウェア制作費は、請負工事の会計処理に準じた処理を行う。

④ 市場販売目的のソフトウェア

1）市場販売目的のソフトウェアである製品マスターの制作費は、研究開発費に該当する部分を除き、資産として計上しなければならない。ただし、製品マスターの機能維持に要した費用は、資産として計上してはならない。

2）研究開発終了後のソフトウェア制作費の取扱い

イ）機能の改良・強化に要した費用→無形固定資産として資産計上

ロ）著しい機能強化に要した費用→研究開発費として発生時に費用処理

ハ）機能維持に要した費用→研究開発費以外の費用として費用処理

3）市場販売目的のソフトウェアを無形固定資産として計上する理由

イ）製品マスターは、それ自体が販売の対象ではない。

ロ）製品マスターは、機械装置等と同様にこれを利用（複写）して製品を作成するものである。

ハ）製品マスターは、法的権利（著作権）を有しているためである。

ニ）製品マスターは、適正な原価計算により取得原価を明確化できるためである。

⑤ 自社利用のソフトウェア

将来の収益獲得または費用削減が確実であるソフトウェアについては、将来の収益との対応等の観点から、その取得に要した費用を資産として計上し、その利用期間にわたり償却を行う。

まとめ

① 研究開発費

発生時費用処理の根拠

1）将来の収益を獲得できるか否か不明→その獲得が確実であるとはいえない

2）資産計上の要件を規定することは困難→企業間の比較可能性を損なう

② ソフトウェア

1）制作目的別に会計処理する理由→制作目的により、将来の収益との対応関係が異なるため

2）受注制作のソフトウェア→請負工事の会計処理に準じた処理

3）市場販売目的のソフトウェア→研究開発費に該当する部分を除き資産計上

4）自社利用のソフトウェア→将来の収益獲得または費用削減が確実→無形固定資産として計上し、利用期間で償却

MEMO

学習度チェック

20　退職給付基準

重要度B ★★

●学習のポイント●

① 退職給付の性格を理解する
② 年金資産が貸借対照表に計上されないことを、その理由とともに理解する
③ 退職給付費用の構成要素である勤務費用、利息費用の内容について理解する
④ 過去勤務費用および数理計算上の差異について遅延認識される理由を理解する

退職給付

退職給付の性格（賃金後払説）

退職給付は、労働の対価として支払われる賃金の後払いである。

退職給付債務

① **退職給付債務**

退職給付債務とは、退職給付のうち認識時点までに発生していると認められる部分を割り引いたものをいう。

② **退職給付債務の計算**

退職給付債務は、退職により見込まれる退職給付の総額（退職給付見込額）のうち、期末までに発生していると認められる額を割り引いて計算する。

退職給付債務の算定

① **現価方式の採用理由**

退職給付は支出までに相当の期間があることから貨幣の時間価値を考慮に入れる必要があるためである。

② **退職給付見込額の見積り**

退職給付見込額は、合理的に見込まれる退職給付の変動要因を考慮して見積る。

③ **退職給付見込額の期間帰属**

退職給付見込額のうち期末までに発生したと認められる額は、次のいずれかの方法を選択適用して計算する。この場合、いったん採用した方法は、原則として、継続して適用しなければならない。

1）期間定額基準

退職給付見込額について全勤務期間で除した額を各期の発生額とする方法

2）給付算定式基準

退職給付制度の給付算定式に従って各勤務期間に帰属させた給付に基づき見積った額を、退職給付見込額の各期の発生額とする方法

④ 割引率

退職給付債務の計算における割引率は、安全性の高い債券の利回りを基礎として決定する。

年金資産

① 意　義

年金資産とは、特定の退職給付制度のために、その制度について企業と従業員との契約（退職金規程等）等に基づき積み立てられた、一定の要件を満たす特定の資産をいう。

② 年金資産が退職給付債務から控除され、貸借対照表に計上されない理由

年金資産は退職給付の支払いのためのみに使用されることが制度的に担保されていることなどから、これを収益獲得のために保有する一般の資産と同様に企業の貸借対照表に計上することには問題があり、かえって、財務諸表の利用者に誤解を与えるおそれがあると考えられる。

退職給付費用

① 勤務費用

勤務費用とは、１期間の労働の対価として発生したと認められる退職給付をいう。

② 利息費用

利息費用とは、割引計算により算定された期首時点における退職給付債務について、期末までの時の経過により発生する計算上の利息をいう。

③ 期待運用収益

期待運用収益とは、年金資産の運用により生じると合理的に期待される計算上の収益をいう。

過去勤務費用および数理計算上の差異の遅延認識

① **過去勤務費用について遅延認識を行う理由**

過去勤務費用の発生要因である給付水準の改訂等が、従業員の勤労意欲が将来にわたって向上するとの期待のもとに行われる面があるためである。

② **数理計算上の差異について遅延認識を行う理由**

数理計算上の差異には、予測と実績の乖離のみならず予測数値の修正も反映されることから、各期に生じる差異を直ちに費用として計上することが退職給付に係る債務の状態を忠実に表現するとはいえない面があるためである。

重要性基準・回廊アプローチ

① **重要性基準**

重要性基準とは、基礎率等の計算基礎に重要な変動が生じない場合には計算基礎を変更しない等、計算基礎の決定にあたって合理的な範囲で重要性による判断を認める方法をいう。

② **回廊アプローチ**

回廊アプローチとは、退職給付債務の数値を毎期末時点において厳密に計算し、その結果生じた計算差異について、一定の範囲内は認識しない方法である。

③ **「退職給付に関する会計基準」での取扱い**

「退職給付に関する会計基準」では、重要性基準によることとしている。これは、退職給付費用が長期的な見積計算であることから、重要性による判断を認めることが適切と考えられるためである。

連結財務諸表における会計処理

① **貸借対照表**

退職給付債務から年金資産の額を控除した額（積立状況を示す額）を負債として計上する。

ただし、年金資産の額が退職給付債務を超える場合には、資産として計上する。

② **損益計算書及び包括利益計算書（又は損益及び包括利益計算書）**

数理計算上の差異の当期発生額及び過去勤務費用の当期発生額のうち、費用処理されない部分（未認識数理計算上の差異及び未認識過去勤務費用となる。）については、その他の包括利益に含めて計上する。その他の包括利益累計額に計上されている未認識数理計算上の差異及び未認識過去勤務費用のうち、当期に費用処理された部分については、その他の包括利益の調整（組替調整）を行う。

③「平成10年会計基準」（旧基準）における負債計上額の問題点

未認識数理計算上の差異及び未認識過去勤務費用に対応する部分を除いた、積立状況を示す額を貸借対照表に計上する場合、積立超過のときに負債（退職給付引当金）が計上されたり、積立不足のときに資産（前払年金費用）が計上されたりすることがあり得るなど、退職給付制度に係る状況について財務諸表利用者の理解を妨げる恐れがある。

まとめ

① 退職給付→労働の対価として支払われる賃金の後払い
② 退職給付債務→退職給付のうち認識時点までに発生しているもの→割引計算により測定
③ 年金資産
1）特定の退職給付制度に基づき退職給付に充てるために積み立てられている資産
2）年金資産は退職給付の支払いのためのみに使用されることが制度的に担保→一般の資産と同様に企業の貸借対照表に計上することは問題→財務諸表の利用者に誤解を与えるおそれがある
3）年金資産は退職給付債務から控除し、貸借対照表に計上しない
④ 退職給付費用
1）勤務費用→１期間の労働の対価として発生した退職給付
2）利息費用→期首時点の退職給付債務に対して時の経過により発生する計算上の利息
3）期待運用収益→年金資産の運用により生じると期待される計算上の収益
⑤ 過去勤務費用および数理計算上の差異→遅延認識を行う理由
⑥ 重要性基準と回廊アプローチ
1）重要性基準→合理的範囲で重要性による判断を認める方法
2）回廊アプローチ→退職給付債務を厳密に計算し、計算差異について一定範囲内は認識しない方法
⑦ 連結財務諸表における会計処理
1）貸借対照表→積立状況を示す額を負債として計上
2）損益計算書及び包括利益計算書→数理計算上の差異及び過去勤務費用の取扱い

3）旧基準の負債計上額の問題点→積立超過のときに負債が計上されたり、積立不足のときに資産が計上されたりすることがあり得る。

MEMO

学習度チェック

21 資産除去債務基準

重要度B ★★

●学習のポイント●

① 資産除去債務とはどのようなものか理解する
② 資産除去債務を負債として計上する理由を理解する
③ 除去費用を資産計上し、費用配分を行う理由を理解する

資産除去債務の定義

資産除去債務とは、有形固定資産の取得、建設、開発または通常の使用によって生じ、当該有形固定資産の除去に関して法令または契約で要求される法律上の義務およびそれに準ずるものをいう。

資産除去債務の負債計上

① 資産除去債務の負債計上

資産除去債務は、有形固定資産の取得、建設、開発または通常の使用によって発生した時に負債として計上する。

② 資産除去債務の負債性

資産除去債務は、有形固定資産の除去に関して法令または契約で要求される法律上の義務およびそれに準ずるものであり、当該有形固定資産の除去サービスに係る支払いが不可避的に生じ、実質的に支払義務を負うことになることから、負債性が認められる。

会計処理

① 引当金処理

1）内　容

引当金処理とは、有形固定資産の除去に係る用役（除去サービス）の費消を、当該有形固定資産の使用に応じて各期間に費用配分し、それに対応する金額を負債として認識する会計処理である。

2）問題点

引当金処理の場合には、有形固定資産の除去に必要な金額が貸借対照表に計上されないことから、資産除去債務の負債計上が不十分となる。

② 資産負債の両建処理

1）内　容

資産負債の両建処理とは、資産除去債務の全額を負債として計上し、同額を有形固定資産の取得原価に反映させる会計処理である。

2）採用理由

資産負債の両建処理は、資産除去債務の全額を負債として計上するとともに、これに対応する除去費用を有形固定資産の取得原価に含めることで、当該除去費用が当該有形固定資産の使用に応じて各期間に費用配分されるため、資産負債の両建処理は引当金処理を包摂するものといえる。

資産除去債務の算定

① 資産除去債務の算定

資産除去債務はそれが発生したときに、有形固定資産の除去に要する割引前の将来キャッシュ・フローを見積り、割引後の金額（割引価値）で算定する。

② 割引前の将来キャッシュ・フローの見積り

割引前の将来キャッシュ・フローは、合理的で説明可能な仮定及び予測に基づく自己の支出見積りによる。

③ 割引現在価値の算定に用いる割引率

割引率は、貨幣の時間価値を反映した無リスクの税引前の利率とする。

④ 時の経過による資産除去債務の調整額の処理

時の経過による資産除去債務の調整額は、その発生時の費用として処理する。

当該調整額は、期首の負債の帳簿価額に当初負債計上時の割引率を乗じて算定する。

除去費用の資産計上と費用配分

① 除去費用の資産計上と費用配分

資産除去債務に対応する除去費用は、資産除去債務を負債として計上した時に、当該負債の計上額と同額を、関連する有形固定資産の帳簿価額に加える。

資産計上された資産除去債務に対応する除去費用は、減価償却を通じて、当該有形固定資産の残存耐用年数にわたり、各期に費用配分する。

② 除去費用の資産計上と費用配分の考え方

有形固定資産の取得に付随して生じる除去費用を当該資産の取

得原価に含めることは、当該資産への投資について回収すべき額を引き上げることを意味する。すなわち、有形固定資産の除去時に不可避的に生じる支出額を付随費用と同様に取得原価に加えた上で費用配分を行い、さらに、資産効率の観点からも有用と考えられる情報を提供するためである。

まとめ

① 資産除去債務の定義→有形固定資産の除去に関して法令または契約で要求される法律上の義務およびそれに準ずるもの

② 資産除去債務の負債性→法令または契約で要求される法律上の義務およびそれに準ずるものであり、除去サービスに係る支払いが不可避的に生じ、実質的に支払義務を負うことになるため

③ 引当金処理→除去に係る用役の費消を固定資産の使用に応じて各期に費用配分し、対応する金額を負債認識する方法

④ 資産負債の両建処理→資産除去債務の全額を負債計上し、同額を取得原価に反映させる方法

⑤ 割引前将来キャッシュ・フローの見積り→自己の支出見積り

⑥ 割引率→貨幣の時間価値を反映した無リスクの税引前の利率

⑦ 除去費用の資産計上→資産除去債務の計上額と同額を、有形固定資産の帳簿価額に加える

⑧ 除去費用の費用配分→減価償却を通じて、当該有形固定資産の残存耐用年数にわたり、各期に費用配分する。

⑨ 資産計上および費用配分の考え方
→付随費用と同様に取得原価に加えた上で費用配分を行い、さらに、資産効率の観点からも有用と考えられる情報を提供するためである。

MEMO

学習度チェック

22　税効果基準

重要度B ★★

●学習のポイント●

① 税効果会計の目的を法人税等の性質とかかわらせて理解する
② 税効果会計の処理方法のうち、資産負債法は計算とも密接につながっていることに留意する
③ 繰延税金資産の資産性は、資産の意義と関連づけて覚える

税効果会計

税効果会計は、企業会計上の資産または負債の額と課税所得計算上の資産または負債の額に相違がある場合において、法人税等の額を適切に期間配分することにより、法人税等を控除する前の当期純利益と法人税等を合理的に対応させることを目的とする手続である。

法人税等の性質

法人税等の会計的性格については、(1)費用説と(2)利益処分説がある。

(1) 費用説

費用説とは、企業（法人）が、国家ないし地方の行政サービスを消費するのであるから、そのサービスに対する費用として法人税を支払うべきであるとする考え方である。

なお、この見解によれば、本来の損益計算書における最終利益は「当期純利益」ということになる。

(2) 利益処分説

利益処分説とは、法人税は、企業の利益に対して課されるものであって、利益がなければ課されないのであるから、利益の処分項目であるとする考え方である。

なお、この見解によれば、本来の損益計算書における最終利益は「税引前当期純利益」ということになる。

「税効果基準」は法人税等の額を適切に期間配分することにより、法人税等を控除する前の当期純利益と法人税等を合理的に対応させることを目的としていることから、法人税等の性格を費用として捉えている。

税効果会計の処理方法

① 繰延法

1）意　義

繰延法とは、調整すべき差異を会計上の収益又は費用と、税務上の益金又は損金の差額から把握し、これに現行の税率を適用して算定した額を調整すべき税効果額として処理する方法である。

2）目　的

繰延法のもとでは、発生年度における法人税等の額と税引前当期純利益とを期間的に対応させることが税効果会計を行う目的である。

② 資産負債法

1）意　義

資産負債法とは、調整すべき差異を会計上の資産又は負債と、税務上の資産又は負債の差額から把握し、これに将来施行されるべき税率（予測税率）を適用して算定した額を調整すべき税効果額として処理する方法である。

2）目　的

資産負債法のもとでは、将来の法人税等の支払額に対する影響を表示することが税効果会計を行う目的である。

一時差異と期間差異の相違（関係）

一時差異と期間差異の範囲はほぼ一致するが、有価証券等の資産又は負債の評価替えにより直接純資産の部に計上された評価差額は一時差異ではあるが期間差異ではない。なお、期間差異に該当する項目は、すべて一時差異に含まれる。

繰延税金資産

① 資産性

繰延税金資産は、将来の法人税等の支払額を減額する効果を有し、一般的には法人税等の前払額に相当するため、その資産性が認められる。

② 回収可能性に関する判断基準

繰延税金資産の回収可能性は、次の1）から3）に基づいて、将来の税金負担額を軽減する効果を有するかどうかを判断する。

1）収益力に基づく一時差異等加減算前課税所得

将来減算一時差異の解消年度を含む期間に、一時差異等加減算前課税所得が生じる可能性が高いと見込まれること

2）タックス・プランニングに基づく一時差異等加減算前課税所得

将来減算一時差異の解消年度を含む期間に、含み益のある固定資産又は有価証券を売却する等のタックス・プランニングに基づく一時差異等加減算前課税所得が生じる可能性が高いと見込まれること

3）将来加算一時差異

将来減算一時差異の解消年度を含む期間に、将来加算一時差異が解消されると見込まれること

繰延税金負債

繰延税金負債は、将来の法人税等の支払額を増額する効果を有し、法人税等の未払額に相当するため、その負債性が認められる。

まとめ

① 税効果会計→企業会計上の資産・負債の額と課税所得計算上の資産・負債の額に相違がある場合→法人税等の額を適切に期間配分→法人税等を控除する前の当期純利益と法人税等を合理的に対応させることを目的

② 法人税等→費用と捉える

③ 税効果会計の処理方法→繰延法、資産負債法

④ 繰延税金資産

1）前払税金の性質→差異が解消する期間の税金支払額の減額効果→資産性あり

2）繰延税金資産計上の要件

イ）収益力に基づく一時差異等加減算前課税所得

ロ）タックス・プランニングに基づく一時差異等加減算前課税所得

ハ）将来加算一時差異

⑤ 繰延税金負債

1）未払税金の性質→差異が解消する期間の税金支払額の増額効果→負債性あり

MEMO

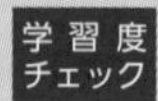

学習度チェック

23 企業結合基準

重要度B ★★

●学習のポイント●

① 企業結合の意義を理解する
② 「取得」と「持分の結合」の意義および考え方を理解する
③ パーチェス法の内容を理解する
④ のれんについて規則的な償却を行う理由を理解する

企業結合とは

企業結合とは、ある企業またはある企業を構成する事業と他の企業または他の企業を構成する事業とが一つの報告単位に統合されることをいう。

「取得」と「持分の結合」

① 「基準」の考え方

「企業結合に関する会計基準」は、企業結合には「取得」と「持分の結合」という異なる経済的実態を有するものが存在する以上、それぞれの実態に対応する適切な会計処理方法を適用する必要があるとの考え方に立っている。

② 取　得

「取得」とは、ある企業が他の企業または企業を構成する事業に対する支配を獲得することをいう。

※ 「取得」の一例としては吸収合併があげられる。
　吸収合併の場合、単に2つ以上の企業が結合したように見えるが、多くの場合は、ある企業が他の企業を「取得」しているのである。

③ 持分の結合

「持分の結合」とは、いずれの企業（または事業）の株主（または持分保有者）も他の企業（または事業）を支配したとは認められず、結合後企業のリスクや便益を引続き相互に共有することを達成するため、それぞれの事業のすべてまたは事実上のすべてを統合して一つの報告単位となることをいう。

※ 「持分の結合」の一例としては対等合併があげられる。

「取得」の会計処理

「取得」と判定された企業結合の会計処理はパーチェス法により行う。

① パーチェス法の意義及び採用理由

1）意　義

パーチェス法とは、被結合企業から受け入れる資産および負債の取得原価を、対価として交付する現金および株式等の時価（公正価値）とする方法をいう。

2）パーチェス法の採用理由

企業結合の多くは、実質的にはいずれかの結合当事企業による新規の投資と同じであり、交付する現金および株式等の投資額を取得価額として他の結合当事企業から受入れる資産および負債を評価することが現行の一般的な会計処理と整合するからである。

3）取得原価の算定

被取得企業又は取得した事業の取得原価は、原則として、取得の対価（支払対価）となる財の企業結合日における時価で算定する。支払対価が現金以外の資産の引渡し、負債の引受け又は株式の交付の場合には、支払対価となる財の時価と被取得企業又は取得した事業の時価のうち、より高い信頼性をもって測定可能な時価で算定する。

② のれん

1）会計処理（規則的償却）

のれんは、資産に計上し、20年以内のその効果の及ぶ期間にわたって、定額法その他の合理的な方法により規則的に償却する。

2）理　由

イ）企業結合の成果たる収益と、その対価の一部を構成する投資消去差額の償却という費用の対応が可能になるためである。

ロ）のれんは投資原価の一部であることに鑑みれば、のれんを規則的に償却する方法は、投資原価を超えて回収された超過額を企業にとっての利益とみる考え方とも首尾一貫しているためである。

ハ）企業結合により生じたのれんは時間の経過とともに自己創設のれんに入れ替わる可能性があるため、企業結合により計上したのれんの非償却による自己創設のれんの実質的な資産計上を防ぐことができるためである。

3）表　示

のれんは無形固定資産の区分に表示し、のれんの当期償却額は販売費及び一般管理費の区分に表示する。

③ 負ののれん

1）会計処理（利益計上）

負ののれんが生じると見込まれる場合には、一定の見直しを行い、なお負ののれんが生じる場合には、当該負ののれんが生じた事業年度の利益として処理する。

2）理　由

イ）負ののれんの発生原因を認識不能な項目やバーゲン・パーチェスであると位置付け、現実には異常かつ発生の可能性が低いことから、異常利益としての処理が妥当であると考えるためである。

ロ）負ののれんは負債として計上されるべき要件を満たしていないためである。

3）表　示

負ののれんは、原則として、特別利益に表示する。

ま と め

① 企業結合→一つの報告単位に統合
② 取得→支配を獲得
③ 持分の結合→支配したとは認められず→一つの報告単位
④ 取得の会計処理→パーチェス法
⑤ のれんにつき規則的な償却を行う理由→収益と費用の対応、投資原価を超えて回収された超過額を利益とみる考え方と首尾一貫、自己創設のれんの計上を防ぐ

MEMO

24 事業分離基準

重要度B
★★

●学習のポイント●

① 事業分離の意義を理解する
② 分離元企業の会計処理を理解する

事業分離とは

事業分離とは、ある企業を構成する事業を他の企業に移転することをいう。

分離元企業の会計処理

① **基本的な考え方**

分離した事業に関する投資が継続しているとみるか清算されたとみるかによって、一般的な売却や交換に伴う損益認識と同様に、分離元企業において移転損益が認識されない場合と認識される場合がある。

② **移転した事業に関する投資が清算されたとみる場合**

分離元企業は、事業分離日に、その事業を分離先企業に移転したことにより受け取った対価となる財の時価と、移転した事業に係る株主資本相当額との差額を移転損益として認識するとともに、改めて当該受取対価の時価にて投資を行ったものとする。

③ **移転した事業に関する投資がそのまま継続しているとみる場合**

分離元企業は、事業分離日に、移転損益を認識せず、その事業を分離先企業に移転したことにより受け取る資産の取得原価は、移転した事業に係る株主資本相当額に基づいて算定するものとする。

被結合企業の株主の会計処理

① **基本的な考え方**

被結合企業に関する投資が継続しているとみるか清算されたとみるかによって、一般的な売却や交換に伴う損益認識と同様に、被結合企業の株主において交換損益が認識されない場合と認識される場合がある。

② **被結合企業に関する投資が清算されたとみる場合**

被結合企業の株主は、企業結合日に、被結合企業の株式と引き換えに受け取った対価となる財の時価と、被結合企業の株式に係る適正な帳簿価額との差額を交換損益として認識するとともに、改めて当該受取対価の時価にて投資を行ったものとする。

③　被結合企業に関する投資がそのまま継続しているとみる場合

被結合企業の株主は、企業結合日に、交換損益を認識せず、被結合企業の株式と引き換えに受け取る資産の取得原価は、被結合企業の株式に係る適正な帳簿価額に基づいて算定するものとする。

まとめ

①　事業分離→企業を構成する事業を他の企業に移転すること
②　分離元企業の会計処理
　1）投資が清算されたとみる場合→移転損益を認識する
　2）投資が継続しているとみる場合→移転損益を認識しない
③　被結合企業の株主の会計処理
　1）投資が清算されたとみる場合→交換損益を認識する
　2）投資が継続しているとみる場合→交換損益を認識しない

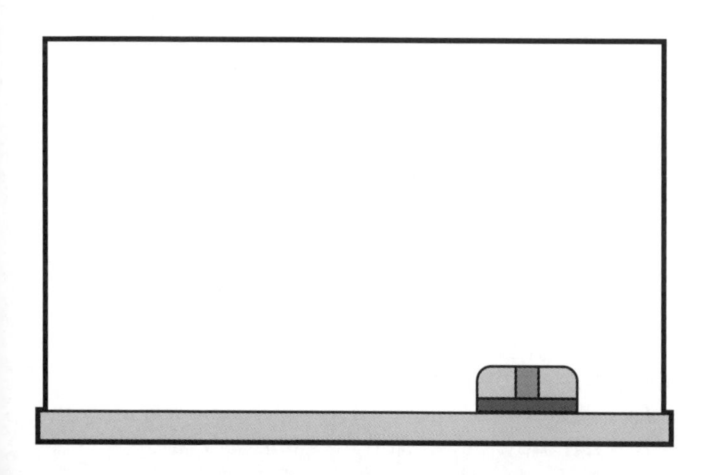

学習度チェック

25 外貨換算基準

重要度C ★

●学習のポイント●

① 外貨建資産・負債等の換算方法を理解する
② 一取引基準、二取引基準の処理方法を理解する
③ 為替予約の処理方法を理解する

外貨換算の方法

① 決算日レート法

決算日レート法とは、すべての外貨表示財務諸表項目を、決算時の為替相場により換算する方法をいう。

② 流動・非流動法

流動・非流動法とは、流動項目を決算時の為替相場によって、非流動項目を取得時または発生時の為替相場によって換算する方法をいう。

③ 貨幣・非貨幣法

貨幣・非貨幣法とは、貨幣項目を決算時の為替相場によって、非貨幣項目を取得時または発生時の為替相場によって換算する方法をいう。

④ テンポラル法

テンポラル法とは、外貨表示財務諸表項目のうち、取得時または発生時の外貨で測定されている項目については取得時または発生時の為替相場で換算し、決算時の外貨で測定されている項目については決算時の為替相場で換算する方法をいう。

外貨建取引

① 一取引基準

一取引基準とは、外貨建取引とその取引に係る代金決済取引とを連続した一つの取引とみなして会計処理を行う基準をいう。

② 二取引基準

二取引基準とは、外貨建取引とその取引に係る代金決済取引とを別個の取引とみなして会計処理を行う基準をいう。

③ 「外貨基準」の取扱い

1）取扱い

「外貨基準」では、二取引基準を採用している。

2）取扱いの理由

イ）為替相場の変動によって生じる損益は、経営者が為替相場の変動に対してどのように対処したかを示すものであるから、当該損益は財務損益として処理すべきであるためである。

ロ）一取引基準によると、決済時まで取得原価が確定しないなど決済日の前に決算日が到来した場合に会計処理が煩雑になるという実務上の問題があるためである。

為替予約等

① 為替予約等の会計処理方法

1）独立処理

独立処理とは、為替予約等を外貨建取引と独立した取引として会計処理する方法をいう。

2）振当処理

振当処理とは、為替予約等により確定する決済時における円貨額により外貨建取引等を換算し、直物為替相場との差額を期間配分する方法をいう。

② 「外貨基準」における取扱い

「外貨基準」では、原則として独立処理を採用することとしているが、ヘッジ会計の要件を満たす場合には、当分の間、振当処理によることも認めている。

まとめ

① 外貨建資産・負債等の換算方法→決算日レート法、流動・非流動法、貨幣・非貨幣法、テンポラル法

② 為替差損益の処理方法→一取引基準、二取引基準→「外貨基準」での取扱い

③ 為替予約→独立処理、振当処理→「外貨基準」での取扱い

学習度チェック

26　純資産表示基準

重要度B ★★

●学習のポイント●

①　純資産とはどのようなものか
②　純資産の部を株主資本と株主資本以外の項目に区分する理由は何か
③　株主資本を企業会計基準と会社法ではどのような考え方に基づき区分しているのか
④　資本剰余金および利益剰余金の各項目の内容
⑤　自己株式の取扱い
⑥　分配可能額計算の趣旨

純資産の概要

①　純資産の意義

純資産とは、資産と負債の差額をいう。

②　株主資本の意義

株主資本とは、純資産のうち報告主体の所有者である株主に帰属する部分をいう。

③　区分の基本的考え方（株主資本と株主資本以外の項目に区分する理由）

財務報告における情報開示の中で、投資の成果を表す当期純利益とこれを生み出す株主資本との関係を示すことが重要であるため株主資本と株主資本以外の各項目を区分するのである。

この結果、損益計算書における当期純利益の額と貸借対照表における株主資本の資本取引を除く当期変動額が一致することとなる。

④　純資産及び株主資本以外とされる項目

1）評価・換算差額等（その他の包括利益累計額）

イ）純資産の部に記載される理由

評価・換算差額等は、資産性又は負債性を有するものではないため、純資産の部に記載される。

ロ）株主資本以外の項目とされる理由

評価・換算差額等は、払込資本ではなく、かつ、未だ当期純利益に含められていないことから、株主資本以外の項目とされる。

2）新株予約権

イ）純資産の部に記載される理由

新株予約権は、返済義務のある負債ではなく、負債の部に表示することは適当ではないため、純資産の部に記載される。

ロ）株主資本以外の項目とされる理由

新株予約権は、報告主体の所有者である株主とは異なる新株予約権者との直接的な取引によるものであり、株主に帰属するものではないため、株主資本以外の項目とされる。

3）非支配株主持分

イ）純資産の部に記載される理由

非支配株主持分は、子会社の資本のうち親会社に帰属していない部分であり、返済義務のある負債ではないため、純資産の部に記載される。

ロ）株主資本以外の項目とされる理由

非支配株主持分は、子会社の資本のうち親会社に帰属していない部分であり、親会社株主に帰属するものではないため、株主資本以外の項目とされる。

株主資本

① 企業会計基準における資本（株主資本）の区分

1）区分内容

企業会計基準によれば、株主資本は、資本金、資本剰余金および利益剰余金に区分される。

2）区分理由

企業会計基準では、投資者保護のための情報開示の観点から、取引源泉別に資本取引から生じた維持拘束性を特質とする払込資本（資本金・資本剰余金）と、損益取引から生じた処分可能性を特質とする留保利益（利益剰余金）を区別することに重点を置いているためである。

② 会社法会計における資本（株主資本）の区分

1）本来的な区分

イ）区分内容

会社法によれば、株主資本は、資本金、準備金および剰余金に区分される。

ロ）区分理由

会社法では、株主と債権者の利害調整の観点から、分配可能額を構成する剰余金とそれ以外の資本金および準備金に区別することに重点を置いているためである。

2）表示上の区分

イ）区分内容

会社法によれば、株主資本は、資本金、資本剰余金および利益剰余金に区分される。

ロ）区分理由

会社法では、一元化の観点から株主資本の表示を企業会計基準および財務諸表等規則に合わせたためである。

資本剰余金

① 区分の考え方

1）区分内容

企業会計基準によれば、資本剰余金は資本準備金およびその他資本剰余金に区分される。

2）区分理由

企業会計基準では、分配可能額を構成するその他資本剰余金とそれ以外の資本準備金を区別する必要がある会社法の考え方を考慮しているためである。

② 資本剰余金の項目の内容

1）資本金および資本準備金の額の減少によって生ずる剰余金をその他資本剰余金に計上する理由

資本金および資本準備金の額の減少に伴って生ずる剰余金は、いずれも減額前の資本金および資本準備金の持っていた会計上の性格が変わるわけではなく、資本性の剰余金の性格を有すると考えられるため、その他資本剰余金に計上される。

2）自己株式処分差益をその他資本剰余金に計上する理由

自己株式の処分が新株の発行と同様の経済的実態を有する点を考慮すると、その処分差額も株主からの払込資本と同様の性格を有すると考えられ、また、会社法において自己株式処分差益は分配可能額を構成することから、その他資本剰余金に計上される。

利益剰余金

① 区分の考え方

1）区分内容

企業会計基準によれば、利益剰余金は利益準備金およびその他利益剰余金に区分される。

2）区分理由

企業会計基準では、分配可能額を構成するその他利益剰余金とそれ以外の利益準備金を区別する必要がある会社法の考え方を考慮しているためである。

② 利益剰余金の項目の内容

1）利益準備金の額の減少によって生ずる剰余金をその他利益剰余金に計上する理由

利益準備金はもともと留保利益を原資とするものであり、利益性の剰余金の性格を有するものと考えられるため、その他利益剰余金に計上される。

自己株式処分差損の取扱い

① 自己株式処分差損が資本剰余金の減少とされる理由

自己株式の取得と処分を一連の取引とみた場合、純資産の部の株主資本からの分配の性格を有すると考えられるが、自己株式の処分が新株の発行と同様の経済的実態を有する点を考慮すると、利益剰余金の額を増減させるべきではなく、処分差益と同じく処分差損についても、資本剰余金の額の減少とすることが適切であると考えられるためである。

② 自己株式処分差損がその他資本剰余金の減少とされる理由

資本準備金からの減額が会社法上の制約を受けるためである。

自己株式の取扱い

① 会計理論上

1）資産説

資産説とは、自己株式を取得したのみでは株式は失効しておらず、他の有価証券と同様に換金性のある会社財産と捉え、資産として扱う考え方をいう。

2）資本控除説

資本控除説とは、自己株式の取得は株主との間の資本取引であり、会社所有者に対する会社財産の払戻しの性格を有するものと捉え、資本の控除として扱う考え方をいう。

② 制度会計上

わが国の制度会計においては、「会社計算規則」、「財務諸表等規則」のいずれも資本控除説を採り、純資産の部の株主資本の末尾に自己株式として一括して控除する形式で表示している。

株主資本等変動計算書

株主資本等変動計算書は、貸借対照表の純資産の部の一会計期間における変動額のうち、主として、株主に帰属する部分である株主資本の各項目の変動事由を報告するために作成するものである。

まとめ

① 純資産→資産と負債の差額
② 資本→純資産のうち株主に帰属する部分→株主資本
③ 企業会計基準における株主資本の区分
資本金、資本剰余金、利益剰余金に区分→払込資本と留保利益に区分
④ 会社法会計における株主資本の区分
1）本来的な区分
資本金、準備金、剰余金に区分→分配可能額を構成する部分とそれ以外に区分
2）表示上の区分
資本金、資本剰余金、利益剰余金に区分→企業会計基準および財務諸表等規則との一元化
⑤ 資本剰余金→区分の考え方、各項目の内容
⑥ 利益剰余金→区分の考え方、各項目の内容
⑦ 自己株式の取扱い
1）会計理論上→資産説、資本控除説
2）制度会計上→会社計算規則、財務諸表等規則いずれも資本控除説に基づく表示
⑧ 株主資本等変動計算書→作成目的

MEMO

学習度チェック

27 ストック・オプション基準

重要度C ★

●学習のポイント●

① ストック・オプションとはどのようなものか理解する
② ストック・オプションが費用認識される根拠を理解する
③ 従来の会計処理の根拠を理解する
④ 権利不行使による失効部分を利益計上する根拠を理解する

ストック・オプションの意義

ストック・オプションとは、自社株式オプションのうち、特に企業がその従業員等に、報酬として付与するものをいう。

※ 「自社株式オプション」とは、一定の金額の支払により、原資産である自社の株式を取得する権利をいう。新株予約権はこれに該当する。

権利確定日以前の会計処理

① 会計処理

ストック・オプションを付与し、これに応じて企業が従業員等から取得するサービスは、その取得に応じて費用として計上し、対応する金額を、ストック・オプションの権利の行使または失効が確定するまでの間、貸借対照表の純資産の部に新株予約権として計上する。

② 根　拠

従業員等に付与されたストック・オプションを対価として、これと引換えに企業に追加的にサービスが提供され、企業に帰属することとなったサービスを消費したと考えられるため、費用認識を行うべきである。

③ 従来の会計処理の根拠（費用認識をすべきでないとする根拠）

1）ストック・オプションの付与によっても、新旧株主間で富の移転が生じるに過ぎないため、現行の企業会計の枠組みの中では費用認識を行うべきではない。

2）ストック・オプションを付与しても、企業には現金その他の会社財産の流出が生じないため、費用認識を行うべきではない。

権利確定日後の会計処理

①　会計処理

1）権利行使された場合

ストック・オプションが権利行使され、これに対して新株を発行した場合には、新株予約権として計上した額のうち、当該権利行使に対応する部分を払込資本に振り替える。

なお、新株予約権の行使に伴い、当該企業が自己株式を処分した場合には、自己株式の取得原価と、新株予約権の帳簿価額及び権利行使に伴う払込金額の合計額との差額は、自己株式処分差額であり、「自己株式基準」により会計処理を行う。

2）権利不行使による失効が生じた場合

権利不行使による失効が生じた場合には、新株予約権として計上した額のうち、当該失効に対応する部分を利益として計上する。

②　失効した場合の会計処理の根拠

ストック・オプションが行使されないまま失効すれば、結果として会社は株式を時価未満で引き渡す義務を免れることになり、無償で提供されたサービスを消費したと考えることができるためである。

ま と め

①　ストック・オプション→自社株式オプションのうち、従業員等に報酬として付与するもの

②　費用処理の根拠→従業員から追加的にサービスが提供され、企業がそのサービスを消費したと考えられるため

③　従来の処理の根拠→・新旧株主間の富の移転に過ぎない
・企業には現金その他の財産の流出が生じない

④　権利失効部分を利益計上する根拠→無償で提供されたサービスを消費したと考えられるため

学習度チェック

28　包括利益計算書基準

重要度B ★★

●学習のポイント●

① 包括利益とその他の包括利益を把握する
② 包括利益を表示する計算書を覚える
③ 包括利益が表示される目的を理解する

包括利益とその他の包括利益

① 包括利益

「包括利益」とは、ある企業の特定期間の財務諸表において認識された純資産の変動額のうち、当該企業の純資産に対する持分所有者との直接的な取引によらない部分をいう。

② その他の包括利益

その他の包括利益とは、包括利益のうち当期純利益に含まれない部分をいう。

包括利益を表示する計算書

包括利益を表示する計算書は、次のいずれかの形式により表示する。

① 2計算書方式

当期純利益を計算する損益計算書と、包括利益を計算する包括利益計算書とで表示する形式

② 1計算書方式

当期純利益の計算と包括利益の計算を1つの計算書（損益及び包括利益計算書）で表示する形式

包括利益表示の目的

包括利益を表示する目的は、期中に認識された取引及び経済的事象（資本取引を除く。）により生じた純資産の変動を報告することである。

包括利益の表示の導入は、包括利益を企業活動に関する最も重要な指標として位置づけることを意味するものではなく、当期純利益に関する情報と併せて利用することにより、企業活動の成果についての情報の全体的な有用性を高めることを目的とするものである。

① 包括利益の表示によって提供される情報は、投資家等の財務諸

表利用者が企業全体の事業活動について検討するのに役立つことが期待される。

② 貸借対照表との連携（純資産と包括利益とのクリーン・サープラス関係）を明示することを通じて、財務諸表の理解可能性と比較可能性を高めるものと考えられる。

まとめ

① 包括利益→特定期間の純資産変動額

② その他の包括利益→包括利益のうち当期純利益に含まれない部分

③ 包括利益を表示する計算書

1）２計算書方式→損益計算書と包括利益計算書

2）１計算書方式→損益及び包括利益計算書

④ 包括利益表示の目的→期中に認識された取引等により生じた純資産の変動を報告する

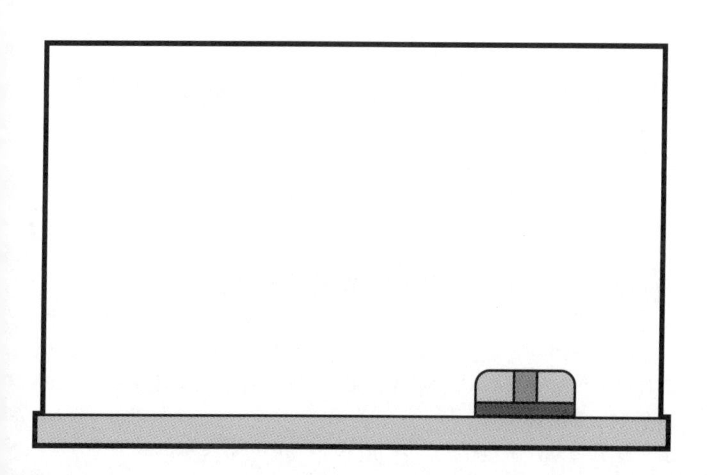

学習度チェック

29　キャッシュ・フロー計算書基準

重要度C
★

●学習のポイント●

① キャッシュ・フロー計算書の本質・必要性を理解する
② キャッシュ・フロー計算書における資金の範囲を覚える
③ 各表示区分が示す情報内容を理解する
④ 直接法と間接法のそれぞれの長所・短所を理解する
⑤ 法人税等および利息ならびに配当金の表示方法の理由を理解する

キャッシュ・フロー計算書の概要

① 位置付け

キャッシュ・フロー計算書は、一会計期間におけるキャッシュ・フローの状況を一定の活動区分別に表示するものであり、貸借対照表及び損益計算書と同様に企業活動全体を対象とする重要な情報を提供するものである。

② キャッシュ・フロー計算書の必要性

1）企業の収益性や安全性を投資者が判断するためには、損益計算書に加え、企業の資金情報を提供することが必要である。

2）キャッシュ・フロー計算書は、発生主義会計における損益計算に比べ、代替的方法が少ないことから、企業間の比較可能性の観点からも有用である。

キャッシュ・フロー計算書における資金の範囲

資金の範囲は、現金（手許現金、要求払預金および特定の電子決済手段）および現金同等物とする。ここに、現金同等物とは、容易に換金可能であり、かつ、価値の変動について僅少なリスクしか負わない短期投資をいう。

キャッシュ・フロー計算書の表示区分

① 営業活動によるキャッシュ・フローの区分では、営業損益計算の対象となった取引のほか、投資活動および財務活動以外の取引によるキャッシュ・フローを記載して営業活動によるキャッシュ・フローを計算する。

② 投資活動によるキャッシュ・フローの区分では、設備投資、証

券投資および融資などに係るキャッシュ・フローを記載して、投資活動によるキャッシュ・フローを計算する。

③ 財務活動によるキャッシュ・フローの区分では、資金調達および返済によるキャッシュ・フローを記載して、財務活動によるキャッシュ・フローを計算する。

「営業活動によるキャッシュ・フロー」の表示方法

「営業活動によるキャッシュ・フロー」の表示方法には、主要な取引ごとに収入総額と支出総額を表示する方法（直接法）と、純利益に必要な調整項目を加減して表示する方法（間接法）とがあるが、次のような理由から、継続適用を条件として、これらの方法の選択適用を認めることとする。

① 直接法による表示方法は、営業活動によるキャッシュ・フローが総額で表示される点に長所が認められること。

② 直接法により表示するためには親会社および子会社において主要な取引ごとにキャッシュ・フローに関する基礎データを用意することが必要であり、実務上手数を要すると考えられること。

③ 間接法による表示方法も、純利益と営業活動によるキャッシュ・フローとの関係が明示される点に長所が認められること。

法人税等の表示区分

① 法人税等は、「営業活動によるキャッシュ・フロー」の区分に一括して記載する。

② 法人税等は、それぞれの活動から生じる課税所得をもとに算定されるものであるため、理論的には、それぞれの活動区分に分けて記載すべきこととなる。

しかし、それぞれの活動ごとに課税所得を分割することは、一般的に困難であると考えられるため、「営業活動によるキャッシュ・フロー」の区分に一括して記載する方法を採用しているのである。

利息および配当金の表示区分

① 受取利息、受取配当金および支払利息を「営業活動によるキャッシュ・フロー」の区分に、支払配当金を「財務活動におけるキャッシュ・フロー」の区分に記載する方法

このように記載するのは、受取利息、受取配当金および支払利息が損益の算定に含まれるものであり、損益の算定に含まれない支払配当金と区別して表示するためである。

② 受取利息および受取配当金は「投資活動によるキャッシュ・フロー」の区分に、支払利息および支払配当金を「財務活動による

キャッシュ・フロー」の区分に記載する方法

このように記載するのは、投資活動に関連する受取利息および受取配当金と、財務活動に関連する支払利息および支払配当金を活動区分別に区分して表示するためである。

まとめ

① 本質→企業の資金運動状況を明らかにする→キャッシュ・フローの状況を示すもの

② 必要性

1）企業の収益性や安全性を判断するため、資金情報を提供することが必要

2）企業間の比較可能性の観点からも有用

③ 資金の範囲→現金および現金同等物

④ キャッシュ・フロー計算書の表示区分→営業活動によるキャッシュ・フロー→投資活動によるキャッシュ・フロー→財務活動によるキャッシュ・フロー

⑤ 「営業活動によるキャッシュ・フロー」の表示方法→直接法、間接法

⑥ 法人税等の表示区分→営業活動によるキャッシュ・フロー

⑦ 利息および配当金の表示区分

1）・受取利息、受取配当金および支払利息→営業活動によるキャッシュ・フロー

・支払配当金→財務活動によるキャッシュ・フロー

2）・受取利息および受取配当金→投資活動によるキャッシュ・フロー

・支払利息および支払配当金→財務活動によるキャッシュ・フロー

MEMO

学習度チェック

30　連結財務諸表基準

重要度C ★

●学習のポイント●

連結財務諸表作成に関する基本的考え方を把握する

連結財務諸表の作成目的

連結財務諸表は、支配従属関係にある二つ以上の会社からなる集団（企業集団）を単一の組織体とみなして、親会社が当該企業集団の財政状態、経営成績およびキャッシュ・フローの状況を総合的に報告するために作成するものである。

連結財務諸表作成の一般原則

①　真実性の原則

連結財務諸表は、企業集団の財政状態、経営成績およびキャッシュ・フローの状況に関して真実な報告を提供するものでなければならない。

②　基準性の原則

連結財務諸表は、企業集団に属する親会社および子会社が一般に公正妥当と認められる企業会計の基準に準拠して作成した個別財務諸表を基礎として作成しなければならない。

③　明瞭性の原則

連結財務諸表は、企業集団の状況に関する判断を誤らせないよう、利害関係者に対し必要な財務情報を明瞭に表示するものでなければならない。

④　継続性の原則

連結財務諸表作成のために採用した基準および手続は、毎期継続して適用し、みだりにこれを変更してはならない。

連結基礎概念（連結財務諸表作成に関する基本的考え方）

①　親会社説

親会社説とは、連結財務諸表を親会社の株主のために作成するものと考え、連結財務諸表を親会社の財務諸表の延長線上に位置づけて、親会社の株主の持分のみを反映させる考え方である。

②　経済的単一体説

経済的単一体説とは、連結財務諸表を企業集団全体の株主のために作成するものと考え、連結財務諸表を親会社とは区別される企業集団全体の財務諸表と位置づけて、企業集団を構成するすべての連結会社の株主の持分を反映させる考え方である。

子会社の判定基準

① 持株基準

持株基準とは、親会社が直接・間接に議決権の過半数を所有しているかどうかにより子会社の判定を行う基準をいう。

② 支配力基準

支配力基準とは、実質的な支配関係の有無に基づいて子会社の判定を行う基準という。

③ 従来の持株基準の問題点

議決権の所有割合が50%以下であっても、その会社を事実上支配しているケースもあり、そのような被支配会社を連結の範囲に含まない連結財務諸表は、企業集団に係る情報としての有用性に欠けるのではないかという指摘があった。

まとめ

① 連結財務諸表の作成目的→企業集団の財務内容の報告

② 連結財務諸表作成の一般原則→真実性の原則、基準性の原則、明瞭性の原則、継続性の原則

③ 連結財務諸表作成に関する考え方→親会社説、経済的単一体説

④ 子会社の判定基準→持株基準、支配力基準

学習度チェック

31 四半期財務諸表基準

重要度C ★

●学習のポイント●

四半期財務諸表作成の考え方（性格）および特徴を理解する

四半期財務諸表の性格

① 実績主義

実績主義とは、四半期会計期間を年度と並ぶ一会計期間とみた上で、四半期財務諸表を、原則として年度の財務諸表と同じ会計方針を適用して作成することにより、当該四半期会計期間に係る企業集団または企業の財政状態、経営成績およびキャッシュ・フローの状況に関する情報を提供するという考え方である。

② 予測主義

予測主義とは、四半期会計期間を年度の一構成部分と位置付けて、四半期財務諸表を、年度の財務諸表と部分的に異なる会計方針を適用して作成することにより、当該四半期会計期間を含む年度の業績予測に資する情報を提供するという考え方である。

③ 「実績主義」の採用

1）中間会計期間の実績を明らかにすることにより、将来の業績予測に資する情報を提供するものと位置付けることがむしろ適当と考えられることおよび恣意的な判断の介入の余地や実行面での計算手続の明確化などを理由として、中間財務諸表等の性格付けが予測主義から実績主義に変更されたこと

2）季節変動性については、実績主義によっても十分な定性的情報や前年同期比較を開示することにより対応できること

四半期財務諸表の特徴

四半期財務諸表は、簡便的な会計処理によることが認められている。これは、四半期財務諸表が年度の財務諸表よりも開示の迅速性が求められているためである。

ま と め

① 四半期財務諸表の性格

1）実績主義→四半期会計期間の実績に関する情報を開示

2）予測主義→四半期会計期間を含む年度の業績予測に資する情報を開示

3）実績主義採用の理由

イ）中間財務諸表等の性格付けが実績主義に変更された

ロ）季節変動性については、実績主義によっても前年同期比較等を行うことにより対応できる

② 四半期財務諸表の特徴（簡便的な会計処理の容認）→開示の迅速性が求められているため

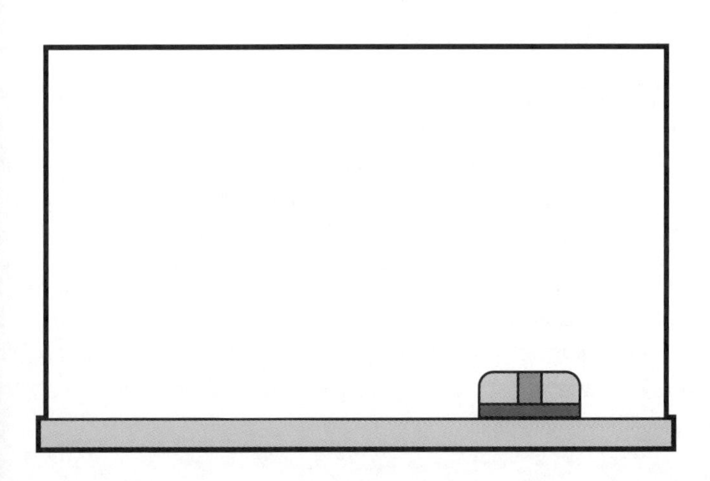

32　会計上の変更等基準

重要度C
★

●学習のポイント●

① 会計方針の変更を把握する
② 表示方法の変更を把握する
③ 会計上の見積りの変更を把握する
④ 過去の誤謬を把握する

会計方針の変更

① 定　義

会計方針とは、財務諸表の作成にあたって採用した会計処理の原則および手続をいう。また、会計方針の変更とは、従来採用していた一般に公正妥当と認められた会計方針から他の一般に公正妥当と認められた会計方針に変更することをいう。

② 変更の取扱い

会計方針を変更した場合には、原則として新たな会計方針を過去の期間のすべてに遡及適用する。

③ 根　拠

会計方針の変更を行った場合に過去の財務諸表に対して新しい会計方針を遡及適用することにより、財務諸表全般についての比較可能性が高まるものと考えられ、また、情報の有用性が高まることが期待されるためである。

表示方法の変更

① 定　義

表示方法とは、財務諸表の作成にあたって採用した表示の方法をいい、財務諸表の科目分類、科目配列および報告様式が含まれる。

また、表示方法の変更とは、従来採用していた一般に公正妥当と認められた表示方法から他の一般に公正妥当と認められた表示方法に変更することをいう。

② 変更の取扱い

財務諸表の表示方法を変更した場合には、原則として表示する過去の財務諸表について、新たな表示方法に従い財務諸表の組替えを行う。

③　根　拠

表示方法の変更を行った場合に過去の財務諸表の組替えを行うことにより、財務諸表全般についての比較可能性が高まるものと考えられ、また、情報の有用性が高まることが期待されるためである。

会計上の見積りの変更

①　定　義

会計上の見積りとは、資産および負債や収益および費用等の額に不確実性がある場合において、財務諸表作成時に入手可能な情報に基づいて、その合理的な金額を算出することをいう。

また、会計上の見積りの変更とは、新たに入手可能となった情報に基づいて、過去に財務諸表を作成する際に行った会計上の見積りを変更することをいう。

②　変更の取扱い

会計上の見積りの変更は、当該変更が変更期間のみに影響する場合には、当該変更期間に会計処理を行い、当該変更が将来の期間にも影響する場合には、将来にわたり会計処理を行う。

③　根　拠

会計上の見積りの変更は、新しい情報によってもたらされるものであるとの認識から、過去に遡って処理せず、その影響は将来に向けて認識するという考え方がとられているためである。

臨時償却の廃止

臨時償却は廃止し、固定資産の耐用年数の変更等については、当期以降の費用配分に影響させる方法（プロスペクティブ方式）のみを認める取扱いとなる。

過去の誤謬

①　定　義

誤謬とは、原因となる行為が意図的であるか否かにかかわらず、財務諸表作成時に入手可能な情報を使用しなかったことによる、またはこれを誤用したことによる、一定の誤りをいう。

②　取扱い

過去の財務諸表における誤謬が発見された場合には、一定の方法により修正再表示する。

③　修正再表示の根拠

誤謬を修正再表示する考え方を導入することは、期間比較が可能な情報を開示するという観点からも有用なためである。

まとめ

① 会計方針の変更

1）会計方針→会計処理の原則および手続

2）取扱い→遡及適用

3）根拠→比較可能性、情報の有用性

② 表示方法の変更

1）表示方法→表示の方法（財務諸表の科目分類等）

2）取扱い→財務諸表の組替え

3）根拠→比較可能性、情報の有用性

③ 会計上の見積りの変更

1）会計上の見積り→合理的金額を算出すること

2）取扱い

イ）変更期間のみに影響→変更期間に会計処理

ロ）将来の期間にも影響→将来にわたり会計処理

3）根拠→新しい情報によってもたらされるものであるため、影響は将来に向けて認識

④ 過去の誤謬

1）誤謬→一定の誤り

2）取扱い→修正再表示

3）根拠→期間比較性

MEMO

学習度チェック

33　収益認識基準

重要度B ★★

●学習のポイント●

① 収益の認識（基本となる原則）について理解する
② 契約の識別（ステップ1）から収益の認識（ステップ5）までの内容を理解する

収益認識（基本となる原則）

本会計基準の基本となる原則は、約束した財又はサービスの顧客への移転を当該財又はサービスと交換に企業が権利を得ると見込む対価の額で描写するように、収益を認識することである。

当該原則に従って収益を認識するために、次の5つのステップが適用される。

1）顧客との契約を識別する。
2）契約における履行義務を識別する。
3）取引価格を算定する。
4）契約における履行義務に取引価格を配分する。
5）履行義務を充足した時に又は充足するにつれて収益を認識する。

契約の識別（ステップ1）

次の1）から5）の要件のすべてを満たす顧客との契約を識別する。

1）当事者が、書面、口頭、取引慣行等により契約を承認し、それぞれの義務の履行を約束していること
2）移転される財又はサービスに関する各当事者の権利を識別できること
3）移転される財又はサービスの支払条件を識別できること
4）契約に経済的実質があること
5）顧客に移転する財又はサービスと交換に企業が権利を得ることとなる対価を回収する可能性が高いこと

履行義務の識別（ステップ2）

契約における取引開始日に、顧客との契約において約束した財又はサービスを評価し、次の1）又は2）のいずれかを顧客に移転する約束のそれぞれについて履行義務として識別する。

1）別個の財又はサービス
2）一連の別個の財又はサービス

取引価格の算定（ステップ3）

取引価格とは、財又はサービスの顧客への移転と交換に企業が権利を得ると見込む対価の額（ただし、第三者のために回収する額を除く。）をいう。

取引価格を算定する際には、次の1）から4）のすべての影響を考慮する。

1）変動対価（顧客と約束した対価のうち変動する可能性のある部分）
2）契約における重要な金融要素
3）現金以外の対価
4）顧客に支払われる対価

取引価格の配分（ステップ4）

それぞれの履行義務（あるいは別個の財又はサービス）に対する取引価格の配分は、財又はサービスの顧客への移転と交換に企業が権利を得ると見込む対価の額を描写するように行う。

財又はサービスの独立販売価格の比率に基づき、契約において識別したそれぞれの履行義務に取引価格を配分する。

収益の認識（ステップ5）

企業は約束した財又はサービスを顧客に移転することにより履行義務を充足した時に又は充足するにつれて、収益を認識する。

資産が移転するのは、顧客が当該資産に対する支配を獲得した時又は獲得するにつれてである。

まとめ

① 収益認識基準の基本となる原則→約束した財又はサービスの顧客への移転を当該財又はサービスと交換に企業が権利を得ると見込む対価の額で描写するように、収益を認識する
② 契約の識別→当事者が、書面、口頭、取引慣行等により契約を承認し、それぞれの義務の履行を約束していることなどの一定の要件を満たす顧客との契約を識別する
③ 履行義務の識別→「別個の財又はサービス」又は「一連の別個の財又はサービス」のいずれかを顧客に移転する約束のそれぞれについて履行義務として識別する
④ 取引価格の算定→取引価格を算定する際には、変動対価などの一定の影響を考慮する
⑤ 取引価格の配分→財又はサービスの独立販売価格の比率に基づき配分する
⑥ 収益の認識→履行義務を充足した時に又は充足するにつれて、収益を認識する

計算編

完全無欠の総まとめ

財務諸表論

学習度チェック

1　計算規則 B/S・P/Lのフォーム

重要度B ★★

●学習のポイント●

会社計算規則に準拠した標準フォームをマスターする
① 貸借対照表の標準フォームを覚える
　1）区分名
　2）金額欄の使い方
② 損益計算書の標準フォームを覚える
　1）区分名
　2）利益名
　3）金額欄の使い方
③ 売上原価・販売費及び一般管理費の記載方法

計規B/Sのフォーム

貸　借　対　照　表

A株式会社　　××年×月×日　　（単位：千円）

科目	金額	科目	金額
資産の部		負債の部	
Ⅰ 流動資産	(65,200)	Ⅰ 流動負債	(41,300)
現金及び預金	6,000	支払手形	13,500
受取手形	23,000	買掛金	16,700
売掛金	22,000	短期借入金	5,400
有価証券	1,500	未払金	5,700
商品	10,000	Ⅱ 固定負債	(14,700)
短期貸付金	2,500	長期借入金	1,200
前払費用	200	退職給付引当金	13,500
Ⅱ 固定資産	(89,800)	負債の部合計	56,000
1 有形固定資産	(70,600)	純資産の部	
建物	27,000	Ⅰ 株主資本	(100,500)
備品	5,600	1 資本金	50,000
土地	38,000	2 資本剰余金	(20,000)
2 無形固定資産	(800)	(1) 資本準備金	15,000
商標権	200	(2) その他資本剰余金	5,000
特許権	600	3 利益剰余金	(30,500)
3 投資その他の資産	(18,400)	(1) 利益準備金	5,000
投資有価証券	7,300	(2) その他利益剰余金	(25,500)
関係会社株式	3,500	新築積立金	5,500
長期貸付金	4,600	繰越利益剰余金	20,000
長期預金	3,000		
Ⅲ 繰延資産	(1,500)		
開発費	1,500	純資産の部合計	100,500
資産の部合計	156,500	負債及び純資産の部合計	156,500

計規B/Sの作成手続

① 1）タイトル（貸借対照表)、2）会社名、3）決算日の日付、4）単位の4つをそれぞれ記載する。

② 資本金、資本準備金、その他資本剰余金、利益準備金は、区分名でもあり、同時に科目名でもある。

③ 区分名の前に付ける番号については、慣行的に資産の部、負債の部、純資産の部には番号は付けず、流動資産、固定資産など細分された区分にはローマ数字、有形固定資産、無形固定資産などさらに細分された区分には算用数字を付す。それ以下の区分にはカッコ付数字を付す。

計規B/Sの各区分の合計額の記載

① 資産の部、負債の部、純資産の部の合計額は、各大区分の末尾に別に1行を設けて「○○の部合計」として記載する。

② 細分化した区分の合計額は、各区分名の横の金額欄にカッコ書きで記載する。ただし、資本金、資本準備金、その他資本剰余金、利益準備金については、金額欄にカッコ書きは付さない。

計規P/Lのフォーム

損益計算書

A株式会社　自××年×月×日　至××年×月×日　(単位：千円)

摘要	金額	
Ⅰ 売上高		50,000
Ⅱ 売上原価		25,000
売上総利益(又は売上総損失)		25,000
Ⅲ 販売費及び一般管理費		5,000
営業利益(又は営業損失)		20,000
Ⅳ 営業外収益		
受取利息	500	
受取配当金	700	1,200
Ⅴ 営業外費用		
支払利息	1,200	
手形売却損	200	1,400
経常利益(又は経常損失)		19,800
Ⅵ 特別利益		
固定資産売却益	800	800
Ⅶ 特別損失		
固定資産災害損失	2,400	2,400
税引前当期純利益(又は税引前当期純損失)		18,200
法人税、住民税及び事業税		7,300
当期純利益(又は当期純損失)		10,900

計規P/Lの作成手続

① タイトル等の記載

1)①タイトル(損益計算書)、②会社名、③会計期間(期首から期末まで)、④単位を記載する。

2)売上高、売上原価等の各区分について、細分することが適当な場合には、適当な項目に細分することができる。ただし、特別利益および特別損失に属する項目は、細分することを原則としている。

なお、実務上は、売上高および売上原価は細分せず、営業外収益、営業外費用、特別利益、特別損失は細分した形式で記載する場合が多く、本試験でも当該形式での出題が想定される。

3)利益の表示については、会社計算規則の規定上は、「○○利益金額」となっているが、会計慣行をしん酌して、単に「○○利益」と表示すれば足りる。

② 金額の記載

1）各科目の金額は、金額欄の左側に記載する。

2）各科目の金額は、区分ごとに締め切り、各区分の金額を金額欄の右側に記載する。

3）各利益の金額は、金額欄の右側に記載する。

③ 売上原価と販売費及び一般管理費を細分した場合の表示方法

Ⅱ 売上原価		
1 **期首商品棚卸高**	×××	
2 **当期商品仕入高**	×××	
合計	×××	
3 **期末商品棚卸高**	×××	×××
売上総利益		×××
Ⅲ 販売費及び一般管理費		
給料手当	×××	
⋮	⋮	
雑費	×××	×××
営業利益		×××

まとめ

① 計規B/Sの作成手続

1）タイトル等の記載→タイトル（貸借対照表）、会社名、決算日の日付、単位を記載

2）区分名の記載

② 計規P/Lの作成手続

1）タイトル等の記載→タイトル（損益計算書）、会社名、会計期間（期首から期末まで）、単位を記載

2）区分名および利益名の記載

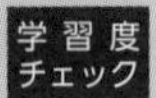

学習度チェック

2　計規B/Sの概要

重要度B ★★

●学習のポイント●

貸借対照表を作成する場合の論点を覚える
① 資産の流動・固定分類表示
1）常に流動資産に表示される項目
2）1年基準により分類表示される項目
② 負債の流動・固定分類表示
1）常に流動負債に表示される項目
2）1年基準により分類表示される項目
③ 経過勘定科目の表示

資産の部・流動資産の表示科目

現金及び預金、受取手形、売掛金、有価証券、商品、貯蔵品、前渡金、前払費用、未収金、未収収益、立替金、短期貸付金、短期固定資産売却受取手形など

…現金及び預金から商品までは、この順序で配列

資産の部・固定資産の表示科目

① **有形固定資産の表示科目**

建物、車両、備品、土地、建設仮勘定など

…建設仮勘定を最後に、その上に土地を表示

② **無形固定資産の表示科目**

のれん、特許権、実用新案権、商標権、借地権など

③ **投資その他の資産の典型的な表示科目**

投資有価証券、関係会社株式、長期貸付金、長期前払費用、長期固定資産売却受取手形、長期預金、長期未収金など

…投資有価証券と関係会社株式を先に表示

資産の部・繰延資産の表示科目

株式交付費、社債発行費、創立費、開業費、開発費

負債の部・流動負債の表示科目

支払手形、買掛金、短期借入金、未払金、未払法人税等、未払費用、前受金、預り金、前受収益、賞与引当金、短期固定資産購入支

払手形など…支払手形から未払法人税等までは、この順序で配列

負債の部・固定負債の表示科目

社債、長期借入金、退職給付引当金、長期未払金、長期預り金、長期固定資産購入支払手形など…社債と長期借入金を先に表示

純資産の部の表示科目

① 純資産の部の表示

純資産の部	
Ⅰ 株主資本	(×××)
1 資本金	×××
2 資本剰余金	(×××)
(1) 資本準備金	×××
(2) その他資本剰余金	×××
3 利益剰余金	(×××)
(1) 利益準備金	×××
(2) その他利益剰余金	(×××)
○○積立金	×××
繰越利益剰余金	×××

② その他利益剰余金の典型的な表示科目

新築積立金
役員退職慰労積立金
別途積立金
繰越利益剰余金

資産の流動・固定分類表示

① 正常営業循環基準とは

正常営業循環基準とは、企業の正常な営業循環過程（例えば、商企業なら現金から始まり、現金→商品→売上債権→現金と再び現金に環流する過程）を構成する資産・負債は、すべて流動資産・流動負債とする基準をいう。

② 正常営業循環基準等により常に流動資産に表示される科目

現金（表示科目は「現金及び預金」）、受取手形、売掛金、商品、貯蔵品、前渡金

③ 1年基準とは

1年基準とは、資産・負債について決算日後1年以内に期限が到来するものを流動資産・流動負債とし、決算日後1年を超えて期限が到来するものを固定資産（投資その他の資産）・固定負債

とする基準をいう。

④　**1年基準により流動資産と固定資産・投資その他の資産に分類表示される項目**

項　　目	表示区分	表示科目
預　　金	流動資産	**現金及び預金**
	投資その他の資産	**長期預金**
貸付金	流動資産	**短期貸付金**
	投資その他の資産	**長期貸付金**
未収金	流動資産	**未収金**
	投資その他の資産	**長期未収金**
前払費用	流動資産	**前払費用**
	投資その他の資産	**長期前払費用**
固定資産売却受取手形	流動資産	**短期固定資産売却受取手形**
	投資その他の資産	**長期固定資産売却受取手形**

負債の流動・固定分類表示

①　**正常営業循環基準等により常に流動負債に表示される科目**

支払手形、買掛金、前受金

②　**1年基準により流動負債と固定負債に分類表示される項目**

項　　目	表示区分	表示科目
借入金	流動負債	**短期借入金**
	固定負債	**長期借入金**
未払金	流動負債	**未払金**
	固定負債	**長期未払金**
預り金	流動負債	**預り金**
	固定負債	**長期預り金**
固定資産購入支払手形	流動負債	**短期固定資産購入支払手形**
	固定負債	**長期固定資産購入支払手形**

③　**その他の項目**

賞与引当金…＜流動負債＞

退職給付引当金…＜原則として、固定負債＞

社債…＜原則として、固定負債＞

経過勘定項目の表示

①　経過勘定項目とは、継続的な役務の提供または受入契約によって生じる前払費用、未収収益、未払費用、前受収益をいう。

② B/S表示区分

前払費用…流動資産（前払費用）または投資その他の資産（長期前払費用）

前受収益…流動負債（前受収益）または固定負債（長期前受収益）

※ 前払費用と前受収益については、1年基準により流動・固定に分類表示されることに注意。

未収収益…流動資産

未払費用…流動負債

③ 未収収益と未収金の区別

④ 未払費用と未払金の区別

攻略のコツ

各区分に表示される科目名およびその表示方法を覚える。

重要語句解説

●受取手形

営業取引（商品の販売など）により受け取った手形。

●短期固定資産売却受取手形

固定資産の売却により受け取った手形のうち短期性のもの。

まとめ

① 資産の部・流動資産の表示科目→現金及び預金、受取手形、売掛金、有価証券、商品の順序に配列

② 資産の部・固定資産の表示科目

1）有形固定資産の表示科目→建設仮勘定を最後に、その上に土地を表示

2）投資その他の資産の表示科目→投資有価証券、関係会社株式の順序に配列

③ 負債の部・流動負債の表示科目→支払手形、買掛金、短期借入金、未払金、未払法人税等の順序に配列

④ 負債の部・固定負債の表示科目→社債、長期借入金の順序に配列

⑤ 資産の流動・固定分類表示

1）正常営業循環基準とは、企業の正常な営業循環過程を構成する資産・負債は、すべて流動資産・流動負債とする基準をいう。

2）1年基準とは、資産・負債について、決算日後1年以内に期限が到来するものを流動資産・流動負債とし、決算日後1年を超えて期限が到来するものを固定資産（投資その他の資産）・固定負債とする基準である

3）1年基準により分類表示→預金、貸付金、未収金、前払費用、固定資産売却受取手形

⑥ 負債の流動・固定分類表示

1）1年基準により分類表示→借入金、未払金、預り金、固定資産購入支払手形

2）その他の項目→賞与引当金（流動負債）、退職給付引当金（固定負債）、社債（固定負債）

⑦ 経過勘定項目→前払費用（長期前払費用）、未収収益、未払費用、前受収益（長期前受収益）

MEMO

学習度チェック

3　計規P/Lの概要

重要度B ★★

●学習のポイント●

① 売上高の表示
② 売上原価の内訳表示
③ 販売費及び一般管理費の表示
④ 営業外収益の表示科目
⑤ 営業外費用の表示科目
⑥ 特別利益の表示科目
⑦ 特別損失の表示科目

売上高の表示

① 売上高は、総売上高から売上値引、売上戻り（売上返品）、売上割戻を控除した純売上高で表示する。

※　総売上高－売上値引－売上戻り－売上割戻＝純売上高

売上原価の表示

① 当期商品仕入高は、総仕入高から仕入値引、仕入戻し（仕入返品）、仕入割戻を控除した純仕入高で表示する。

※　総仕入高－仕入値引－仕入戻し－仕入割戻＝純仕入高

販売費及び一般管理費の表示

① 販売費及び一般管理費の典型的な表示科目

給料手当、役員報酬、旅費交通費、福利厚生費、販売手数料、荷造運賃、広告宣伝費、見本品費、通信費、交際費、水道光熱費、貸倒引当金繰入額、賞与引当金繰入額、退職給付費用、役員退職慰労引当金繰入額、不動産賃借料、租税公課、減価償却費、修繕費、保険料、事務用消耗品費、のれん償却、特許権償却、商標権償却、開発費償却、雑費

② 貸倒引当金繰入額の表示区分

1）営業債権（受取手形、売掛金など）に対するもの→販売費及び一般管理費

2）営業外債権（貸付金など）に対するもの→営業外費用

③ 無形固定資産の償却額の表示区分

無形固定資産の償却額はすべて販売費及び一般管理費に表示す

る。

④ 繰延資産の償却額の表示区分

1）開発費の償却額→販売費及び一般管理費

2）上記以外の繰延資産の償却額→営業外費用

営業外収益の表示科目

受取利息、有価証券利息、受取配当金、貸倒引当金戻入額、有価証券売却益、投資不動産賃貸料、雑収入

営業外費用の表示科目

支払利息、社債利息、創立費償却、開業費償却、株式交付費償却、社債発行費償却、貸倒引当金繰入額、有価証券売却損、雑損失

特別利益の表示科目

固定資産売却益、投資有価証券売却益

特別損失の表示科目

固定資産売却損、投資有価証券売却損、固定資産災害損失、役員退職慰労金

ま と め

① P/L売上高は純売上高で表示

② P/L当期商品仕入高は純仕入高で表示

③ 貸倒引当金繰入額の表示区分

1）営業債権→販売費及び一般管理費

2）営業外債権→営業外費用

④ 無形固定資産の償却額はすべて販売費及び一般管理費に表示

⑤ 繰延資産の償却額の表示区分

1）開発費の償却額→販売費及び一般管理費

2）上記以外の繰延資産の償却額→営業外費用

4　注記表の概要

重要度A ★★★

●学習のポイント●

① 注記事項とは何か
② 注記事項の内容

注記事項とは

注記事項とは、計算書類の数値や項目に関する補足的な財務情報として、文章で記載された種々の事項をいう。

会社法では、この注記事項を注記表という計算書類に記載することとしている。

注記表の概要

会社計算規則では、以下の注記事項について記載が要求されている。

	注記事項の名称	注記事項の概要
①	継続企業の前提に関する注記	事業年度末において、会社が将来にわたって事業を継続する前提に重要な疑いが存在する場合の注記
②	重要な会計方針に係る事項に関する注記	計算書類の作成のために採用している会計処理方法等に関する注記
③	会計方針の変更に関する注記	計算書類の作成のために採用した会計方針を変更した場合の注記
④	表示方法の変更に関する注記	計算書類の作成のために採用した表示方法を変更した場合の注記
⑤	会計上の見積りの変更に関する注記	計算書類の作成に当たっての会計上の見積りの変更を行った場合の注記
⑥	誤謬の訂正に関する注記	過去の誤謬の訂正を行った場合の注記
⑦	貸借対照表等に関する注記	貸借対照表等に記載される項目に関する注記
⑧	損益計算書に関する注記	損益計算書に記載される項目に関する注記
⑨	株主資本等変動計算書に関する注記	株主資本等変動計算書に記載される項目に関する注記

⑩	税効果会計に関する注記	税効果会計を適用した場合に必要となる注記
⑪	リースにより使用する固定資産に関する注記	ファイナンス・リース取引を行った会社が賃貸借処理を行った場合に必要となる注記
⑫	金融商品に関する注記	金融商品の時価など、金融商品の状況に関する注記
⑬	賃貸等不動産に関する注記	賃貸等不動産の時価など、賃貸等不動産の状況に関する注記
⑭	持分法損益等に関する注記	連結計算書類を作成しない場合における持分法損益等に関する注記
⑮	関連当事者との取引に関する注記	会社の主要株主などの関連当事者と重要な取引をした場合に必要となる注記
⑯	１株当たり情報に関する注記	１株当たり当期純利益など、普通株主に関する注記
⑰	重要な後発事象に関する注記	事業年度の末日後に発生した会社に重要な影響を及ぼす事項に関する注記
⑱	連結配当規制適用会社に関する注記	分配可能額算定における連結配当規制の規定の適用を受けた会社に関する注記
⑲	その他の注記	上記に掲げるもののほか、会社の財産または損益の状態を正確に判断するために必要な注記

※　受験上は、②、③、⑦、⑧、⑨、⑩、⑯について考慮すればよい。

重要な会計方針に係る事項に関する注記

①　会計方針に関する注記

例えば、有形固定資産の減価償却の方法としては、定額法、定率法などのいくつかの方法が認められており、その中から１つを採用することになる。仮に、当社が定率法を採用した場合においては、この定率法が当社の減価償却における会計方針となる。

会社計算規則では、計算書類の作成のために採用している会計処理の原則および手続並びに表示方法その他計算書類作成のための基本となる事項である会計方針について、注記することを要求している。

具体的な注記事項は以下のとおりである。

1）有価証券の評価基準および評価方法
2）棚卸資産の評価基準および評価方法
3）固定資産の減価償却方法
4）繰延資産の処理方法
5）外貨建資産および負債の本邦通貨への換算基準
6）引当金の計上基準
7）収益および費用の計上基準
8）その他計算書類の作成のための基本となる事項

貸借対照表等に関する注記

貸借対照表等に記載される数値や項目について、補足的な財務情報を記載するものである。

会社計算規則では、以下の事項の記載を要求している。

① 資産が担保に供されている場合、資産が担保に供されている旨、資産の内容およびその金額、担保に係る債務の金額
② 資産に係る引当金を直接控除した場合、各資産の資産項目別の引当金の金額
③ 資産に係る減価償却累計額を直接控除した場合、各資産の資産項目別の減価償却累計額
④ 資産に係る減損損失累計額を減価償却累計額に合算して減価償却累計額をもって表示した場合、減価償却累計額に減損損失累計額が含まれている旨
⑤ 保証債務、手形遡求債務、重要な係争事件に係る損害賠償義務その他これらに準ずる債務（負債の部に計上したものを除く）があるときは、当該債務の内容および金額
⑥ 関係会社に対する金銭債権債務について、他の金銭債権債務と区分して表示していない場合、当該関係会社に対する金銭債権または金銭債務の項目別金額または２以上の項目について一括した金額
⑦ 取締役、監査役および執行役との間の取引による取締役、監査役および執行役に対する金銭債権債務がある場合、金銭債権または金銭債務ごとの総額
⑧ 親会社株式の各表示区分別の金額
⑨ 圧縮記帳の表示方法につき、直接控除法により表示している場合、有形固定資産から控除されている旨

預金の範囲

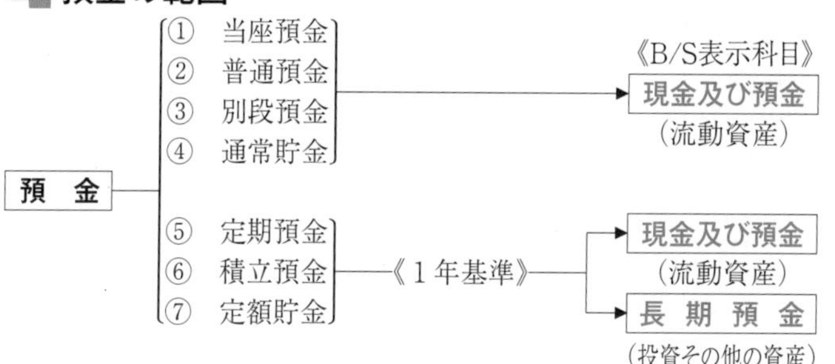

※　預金のうち、定期預金、積立預金、定額貯金については、満期日が定められ、かつ原則として満期日になるまで引出しを行わないことから、1年基準を適用して決算日後1年以内に満期日が到来するものは「現金及び預金」として、決算日後1年を超えて満期日が到来するものは「長期預金」としてB/Sに表示する。

銀行勘定の調整

①　銀行勘定の調整

決算にあたり、企業は銀行に対して預金残高証明書の発行を依頼し、当座預金勘定残高と照合することにより両者の一致を確認する。しかし、両者の金額は様々な原因により一時的に不一致となっていることがあるため、その場合には銀行勘定調整表を作成し、必要に応じて当座預金勘定の修正処理を行う。これを「銀行勘定調整」という。

②　不一致原因

不一致原因には様々なものがあるが、代表的なものは、次に示すとおりである。

不一致原因	内　　容	企業側	銀行側	銀行勘定調整表における調整
時間外預入（締後入金）	企業は銀行に現金を預け入れたが、銀行では閉店後であったため、翌日に入金処理を行った。	入　金	未入金	銀行側・加算
未取付小切手	企業は小切手を振り出して支払先に交付したが、銀行には未呈示のままとなっている。	出　金	未出金	銀行側・減算
未取立小切手	企業は銀行に対して小切手の取立依頼をして入金処理を行ったが銀行では取立が完了していない。	入　金	未入金	銀行側・加算
未渡小切手	企業では小切手を振り出して出金処理を行ったが、支払先には未渡のままとなっている。	出　金	未出金	**企業側・加算**
振込未記帳	銀行で当座振込があったが、企業ではその通知を受けていないため入金処理を行っていない。	未入金	入　金	**企業側・加算**
引落未記帳	銀行で当座引落があったが、企業ではその通知を受けていないため出金処理を行っていない。	未出金	出　金	**企業側・減算**
誤記帳	企業で取引金額等を誤って入金処理または出金処理した。	入出金（誤記帳）	入出金（適正）	**企業側・加算（企業側・減算）**

当座借越

当座借越は、短期の銀行借入金であることから、B/S上は短期借入金（流動負債）として表示する。

当座借越の勘定処理には、①一勘定法②二勘定法の２通りがある。

①は、当座借越勘定（貸方）を特別に設けないで、当座借越額も当座預金勘定の貸方に記入する方法。

②は、当座預金勘定（借方）とは別に、当座借越勘定（貸方）を設けて処理する方法。

◆他の当座預金勘定と相殺する処理をしている場合

残　高　試　算　表（単位：千円）

当座預金	1,000	

◆**当座借越勘定で処理している場合**

残　高　試　算　表（単位：千円）

当座預金	2,000	当座借越	1,000

※B/S表示

貸　借　対　照　表（単位：千円）

現金及び預金	2,000	短期借入金	1,000

現金・預金に関連する注記事項

①　貸借対照表等に関する注記

預金を担保に供している場合

<文　例>

(イ)　長期預金のうち1,000千円を長期借入金1,200千円の担保に供している。

(ロ)　長期預金のうち2,000千円を当座借越契約の担保に供している。

※　所有資産が借入金などの担保に供されている場合において、その事実（①資産が担保に供されていること、②①の資産の内容およびその金額、③担保に係る債務の金額）を開示するための注記。

攻略のコツ

当座借越、未渡小切手の表示に注意する。

重要語句解説

●**先日付小切手**

小切手に記載する振出の日付を、現実の振出日よりも先（将来）の日付とした小切手のこと。法律上は小切手だが、実質的には手形に近いため、受取手形として表示する。

ま　と　め

①　現金の範囲

通貨、手許にある他人振出当座小切手、期限到来済公社債利札、配当金領収証

② 現金とまちがえやすい項目

収入印紙の未使用分、郵便切手の未使用分、先日付小切手、自己振出の回収小切手、未渡小切手

③ 預金の範囲

1）当座預金、普通預金、別段預金、通常貯金

2）定期預金、積立預金、定額貯金

④ 当座借越→短期借入金

⑤ 貸借対照表等に関する注記

預金を担保に供している場合

設 例

期末において金庫の中を実査した結果、通貨のほかに次のものが入っていた。

(1) 未渡小切手 700千円（買掛金の支払のため振り出したもの）

(2) 収入印紙 300千円（期中に購入し、購入時に租税公課で処理済み）

(3) 郵便切手 150千円（期中に購入し、購入時に通信費で処理済み）

(4) 当社振出の当座小切手 1,600千円（売掛金の回収として受け取ったが未処理）

(5) 先日付小切手 400千円（売上代金として受け取ったが未処理）

解 説

（仕訳の単位：千円）

	借方科目	金額	貸方科目	金額
(1)	現金及び預金	700	買掛金	700
(2)	貯蔵品	300	租税公課	300
(3)	貯蔵品	150	通信費	150
(4)	現金及び預金	1,600	売掛金	1,600
(5)	受取手形	400	売上高	400

なお、(1)、(4)の勘定科目は「当座預金」であるが、B/S表示科目は「現金及び預金」となる。

設例

残高試算表（単位：千円）

現金	3,500	
預金	41,000	

預金の内訳は次のとおりである。
(1) 当座預金　4,000千円
(2) 普通預金　2,000千円
(3) 別段預金　5,000千円
(4) 定期預金　20,000千円（満期日はX6年11月30日）
(5) 積立預金　10,000千円（満期日はX6年6月30日）
なお、当社の決算日はX5年6月30日である。

解説

（仕訳の単位：千円）

借方	金額	貸方	金額
現金及び預金	24,500	現金	3,500
長期預金	20,000	預金	41,000

(1) 現金及び預金
現金3,500千円＋当座預金4,000千円＋普通預金2,000千円
＋別段預金5,000千円＋積立預金10,000千円＝24,500千円
(2) 長期預金
定期預金20,000千円

学習度チェック

6　金銭債権

重要度A ★★★

●学習のポイント●

① 金銭債権の範囲と表示科目
② 関係会社に対する金銭債権の表示
1）関係会社の概念を明確にする
2）関係会社に対する金銭債権の表示
③ 貸倒引当金の表示と会計処理
1）貸倒引当金の表示
2）貸倒引当金の会計処理
④ 貸倒発生時の処理と表示
⑤ 割引手形・裏書手形
⑥ 不渡手形
⑦ 破産更生債権等
⑧ 貸倒見積高の算定
⑨ 前期貸倒債権の処理
⑩ 金銭債権に関連する注記事項

金銭債権の範囲と表示科目

① 金銭債権とは、将来、金銭による支払いを受けることができる権利をいう。
② 金銭債権は、営業債権と営業外債権に分類される。
③ 営業債権は、正常営業循環基準により流動資産に表示する。
④ 営業外債権は、1年基準を適用して、決済期日の長短により、流動資産または固定資産・投資その他の資産に表示する。
⑤ 営業外受取手形とは、商品の販売など会社の主目的たる営業取引以外の取引により発生した手形債権の総称である。
⑥ 固定資産や有価証券の売却に伴い手形を受け取った場合には、商品の販売などに伴う営業上の手形債権と区別して表示する。
⑦ 金銭の貸付には、証書貸付と手形貸付の2種類があり、手形貸付の場合は手形債権が生じるが、貸付金として取り扱われる。

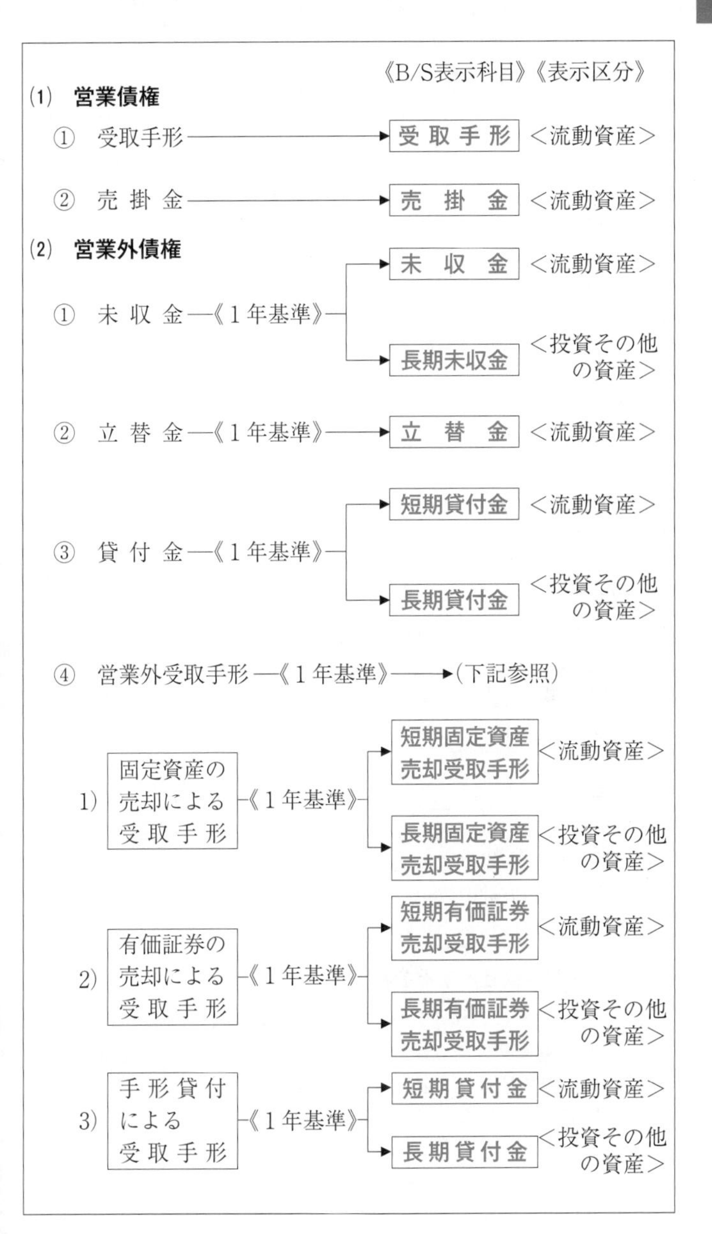
《B/S表示科目》《表示区分》
(1) 営業債権
① 受取手形
受取手形
＜流動資産＞
② 売掛金
売掛金
＜流動資産＞
(2) 営業外債権
① 未収金—《1年基準》
未収金
＜流動資産＞
長期未収金
＜投資その他の資産＞
② 立替金—《1年基準》
立替金
＜流動資産＞
③ 貸付金—《1年基準》
短期貸付金
＜流動資産＞
長期貸付金
＜投資その他の資産＞
④ 営業外受取手形—《1年基準》
(下記参照)
1) 固定資産の売却による受取手形
《1年基準》
短期固定資産売却受取手形
＜流動資産＞
長期固定資産売却受取手形
＜投資その他の資産＞
2) 有価証券の売却による受取手形
《1年基準》
短期有価証券売却受取手形
＜流動資産＞
長期有価証券売却受取手形
＜投資その他の資産＞
3) 手形貸付による受取手形
《1年基準》
短期貸付金
＜流動資産＞
長期貸付金
＜投資その他の資産＞

関係会社の意味

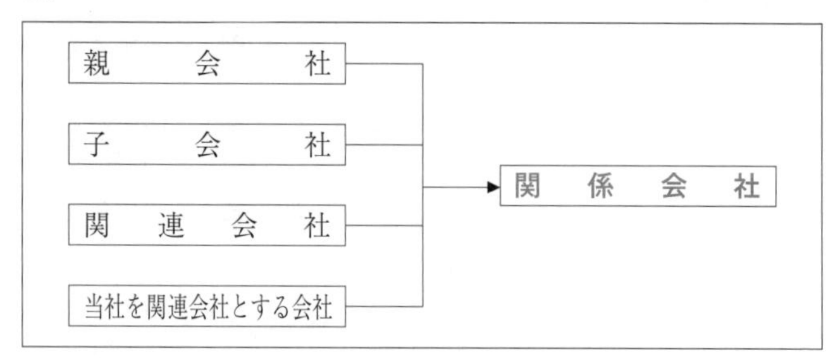

① 子会社

① 当社が50％超の議決権を所有している会社
② 当社が40％以上50％以下の議決権を所有していて、財務および事業の方針の決定を支配していると認められる一定の事実がある会社

② 親会社

① 当社の50％超の議決権を所有している会社
② 当社の40％以上50％以下の議決権を所有していて、財務および事業の方針の決定を支配していると認められる一定の事実がある会社

③ 関連会社

① 当社が20％以上議決権を所有している会社（子会社を除く）
② 当社が15％以上20％未満の議決権を所有していて、財務および事業の方針の決定に対して重要な影響を与えることができると認められる一定の事実がある会社

④ 当社を関連会社とする会社

① 当社の20％以上の議決権を所有している会社（親会社を除く）
② 当社の15％以上20％未満の議決権を所有していて、財務および事業の方針の決定に対して重要な影響を与えることができると認められる一定の事実がある会社

関係会社に対する金銭債権の表示

（単位：千円）

<table>
<tr><th>独立科目表示法</th><th>科目別注記法</th><th>一括注記法</th></tr>
<tr><td rowspan="2">Ⅰ流動資産
受取手形　500
関係会社受取手形　200
売掛金　400
関係会社売掛金　100
⋮
Ⅱ固定資産
⋮
3 投資その他の資産
⋮
長期貸付金　100
関係会社長期貸付金　100</td><td>Ⅰ流動資産
受取手形　700
売掛金　500
⋮
Ⅱ固定資産
⋮
3 投資その他の資産
⋮
長期貸付金　200</td><td>Ⅰ流動資産
受取手形　700
売掛金　500
⋮
Ⅱ固定資産
⋮
3 投資その他の資産
⋮
長期貸付金　200</td></tr>
<tr><td>関係会社に対する金銭債権は次のとおりである。
受取手形　200千円
売掛金　100千円
長期貸付金　100千円</td><td>関係会社に対する金銭債権は次のとおりである。
短期金銭債権　300千円
長期金銭債権　100千円</td></tr>
</table>

貸倒引当金の表示

① 貸倒引当金は、取立不能見込額をB/S上に表示する場合の表示科目。
② 科目別間接控除法（原則的方法）＝個々の金銭債権から控除する形式で表示する方法。
③ 一括間接控除法（例外的方法）＝2つ以上の金銭債権から一括して控除する形式で表示する方法。
④ 直接控除科目別注記法（例外的方法）＝金銭債権から貸倒引当金を直接控除し、科目別に注記する方法。
⑤ 直接控除一括注記法（例外的方法）＝金銭債権から貸倒引当金を直接控除し、一括して注記する方法。

（単位：千円）

原則的方法	
科目別間接控除法	
Ⅰ流動資産	
受取手形	100,000
貸倒引当金	**△ 2,000**
売掛金	80,000
貸倒引当金	**△ 1,600**
：	
Ⅱ固定資産	
3 投資その他の資産	
長期貸付金	40,000
貸倒引当金	**△ 800**

（単位：千円）

例外的方法(1)	
一括間接控除法	
Ⅰ流動資産	
受取手形	100,000
売掛金	80,000
：	
貸倒引当金	**△ 3,600**
Ⅱ固定資産	
3 投資その他の資産	
長期貸付金	40,000
：	
貸倒引当金	**△ 800**

（単位：千円）

例外的方法(2)	
直接控除科目別注記法	
Ⅰ流動資産	
受取手形	98,000
売掛金	78,400
：	
Ⅱ固定資産	
3 投資その他の資産	
長期貸付金	39,200
（注）貸倒引当金がそれぞれ控除されている。	
受取手形	**2,000千円**
売掛金	**1,600千円**
長期貸付金	**800千円**

（単位：千円）

例外的方法(3)	
直接控除一括注記法	
Ⅰ流動資産	
受取手形	98,000
売掛金	78,400
：	
Ⅱ固定資産	
3 投資その他の資産	
長期貸付金	39,200
（注）貸倒引当金がそれぞれ控除されている。	
短期金銭債権	**3,600千円**
長期金銭債権	**800千円**

※　特に指示がない場合は、原則である科目別間接控除法による。

※　一括間接控除法によった場合には、貸倒引当金は流動資産および固定資産・投資その他の資産の末尾に表示するのが一般的。

貸倒引当金の会計処理

① 貸倒引当金の取崩および設定

1）期末残高の取崩

貸倒引当金　××／貸倒引当金戻入額　××

2）貸倒引当金の設定（計上）

貸倒引当金繰入額　××／貸倒引当金　××

② 貸倒引当金の繰入額と戻入額の表示

1）総額（両建）表示の場合

イ）貸倒引当金戻入額→営業外収益

ロ）貸倒引当金繰入額→営業債権に対するもの→販売費及び一般管理費
　　　　　　　　　　→営業外債権に対するもの→営業外費用

2）純額表示の場合

イ）繰入額<戻入額の場合→差額を営業外収益に計上する。

ロ）繰入額>戻入額の場合→差額を繰入額算定の基礎となった対象債権の割合等、合理的な按分基準によって、販売費及び一般管理費または営業外費用に計上する。

なお、問題において特に指示がない場合には、2）の純額表示を採用する。

貸倒れ発生時の処理と表示

① 当期に発生した金銭債権が貸倒れとなった場合に、貸倒損失が計上される。

② 前期以前発生の債権が貸倒れとなった場合

1）貸倒引当金の残高≧貸倒れた債権の額

→貸倒引当金を充当

貸倒引当金　××／売掛金　××

2）貸倒引当金の残高<貸倒れた債権の額

貸倒引当金の不足額が当期中の状況変化により生じたものである場合

→貸倒引当金を充当し、不足分は貸倒損失を計上

貸倒引当金　××／売掛金　××
貸倒損失　××／

③　貸倒損失の表示

　1）営業債権に係るもの──►販売費及び一般管理費

　2）営業外債権に係るもの──►営業外費用

　3）異常な原因による貸倒損失は特別損失に表示する。

割引手形・裏書手形の処理

①　受取手形を割引に付した場合または裏書譲渡した場合には、その時点で手形に対する支配が移転していると考えられるため、当該時点で消滅を認識する。つまり、手形債権の消滅を手形の売買と捉え、受取手形の帳簿価額と入金額（決済額）との差額を手形売却損として営業外費用に計上する。

②　ただし、裏書人としての遡求義務という新たな債務が同時に発生することからこの遡求義務に関しては時価により評価し、当該保証債務を計上しなければならない。

　1）割引日の処理

借方	金額	貸方	金額
現金及び預金	××	受取手形	××
手形売却損 ＜営業外費用＞	××		

借方	金額	貸方	金額
手形売却損 ＜営業外費用＞	××	保証債務 ＜流動負債＞	××

　2）裏書日の処理

借方	金額	貸方	金額
買掛金	××	受取手形	××
手形売却損 ＜営業外費用＞	××	保証債務 ＜流動負債＞	××

③　保証債務に係る「手形売却損」は「保証債務費用」とすることができる。

不渡手形

①　手形期日に手形金額の支払が履行されないことを手形の不渡りといい、不渡りとなった手形を不渡手形という。

②　手形が不渡りになった場合でも、手形の所持人は、前の手形関係者に対して償還請求をなすことができる。

不渡手形の会計処理

①　手許にある受取手形が不渡りとなった場合

1）償還請求に係る諸費用がない場合

借方		貸方	
不渡手形	××	受取手形	××

2）償還請求に係る諸費用がある場合

借方		貸方	
不渡手形	××	受取手形	××
		現金及び預金	××

②　割引に付した受取手形が不渡りとなり買い戻した場合

借方		貸方	
不渡手形	××	現金及び預金	××

不渡手形の性格とB/S表示区分

①　不渡手形は、原因債権が営業債権であれば営業債権としての性格をもつ。
②　不渡手形の表示…１年基準を適用し、回収見通しの長短によって→流動資産または投資その他の資産
③　表示科目は「不渡手形」である。

破産更生債権等

①　回収可能性が不明となった金銭債権を総称して「破産更生債権等」という。
②　破産更生債権等の内容とB/S表示科目

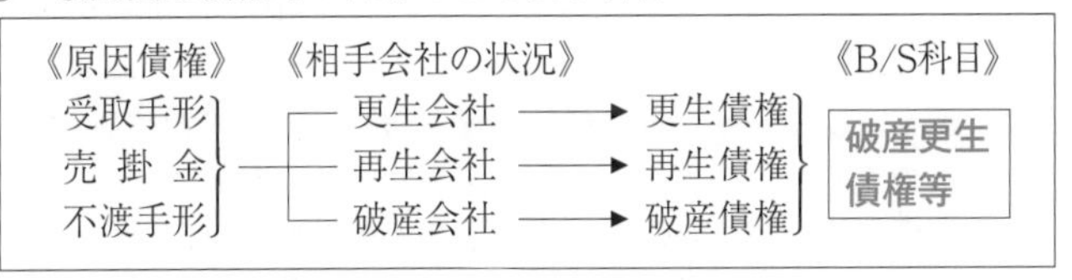

③　破産更生債権等とは、「破産債権、再生債権、更生債権その他これらに準ずる債権」をいう。
　したがって、破産更生債権等には、更生手続等の開始決定を受けた会社（更生会社）に対する債権の他に、更生手続等の開始申し立てを行った企業や、法的手続の適用を申請していなくても、実質的に破綻している企業に対する債権も含まれることとなる。
④　破産更生債権等の性格とB/S表示区分
1）破産更生債権等は、原因債権が営業債権であれば営業債権としての性格をもつ。
2）破産更生債権等の表示…１年基準を適用→通常は投資その他の資産

なお、破産更生債権等の科目ではなく、長期滞り債権や長期滞留貸付金といった具体的・個別的な表示科目が用いられることがある。ただし、そのような科目を用いる場合には，問題文に指示がある。

3）1年以内に回収される予定となったときは、流動資産に振り替える。

貸倒見積高の算定

債権の区分と貸倒見積高の算定との関係

債権の区分	内　　　容	貸倒見積高の算定方法
一　般　債　権	経営状態に重大な問題が生じていない債務者に対する債権	・貸倒実績率法
貸倒懸念債権	経営破綻の状態には至っていないが、債務の弁済に重大な問題が生じているか、または生じる可能性の高い債務者に対する債権	次のいずれかによる ・財務内容評価法 →担保、保証による回収可能額を控除した残額のうち必要額 ・キャッシュ・フロー見積法※
破産更生債権等	経営破綻または実質的に経営破綻に陥っている債務者に対する債権	・財務内容評価法 →担保、保証による回収可能額を控除した残額の全額

※　キャッシュ・フロー見積法とは、債権の割引現在価値（当該債権の元本および利息の受取額を当初の約定利率で割り引いた現在価値額）と当該債権の帳簿価額との差額を貸倒見積高として計上し、結果的に当該債権から得られる将来キャッシュ・フローの見積額をもって、当該債権を評価する方法をいう。

前期貸倒債権の取立

前期以前に貸倒処理（償却）していた売掛金などの金銭債権が当期において回収される場合がある。この場合、過年度における貸倒処理の修正として償却債権取立益を計上する。

現金及び預金　××／償却債権取立益　××
＜P/L・営業外収益＞

金銭債権に関連する注記事項

① 重要な会計方針

1）貸倒引当金の計上基準

イ）債権の区分が示されていない場合

＜文　例＞

　貸倒引当金は債権の貸倒れによる損失に備えるため、受取手形、売掛金および貸付金の残高に対して２％を計上している。

ロ）債権の区分が示されている場合

＜文　例＞

　貸倒引当金は債権の貸倒れによる損失に備えるため、債権の区分に応じ、以下のように設定している。
イ）一般債権は、貸倒実績率法により、過去の貸倒実績率に基づき、期末残高の２％を計上している。
ロ）貸倒懸念債権は、キャッシュ・フロー見積法により計上している。
ハ）貸倒懸念債権は、財務内容評価法により、担保による処分見込額を控除した残額の50％を計上している。
ニ）破産更生債権等は、財務内容評価法により、保証による回収可能額を控除した残額の全額を計上している。

② 貸借対照表等に関する注記

1）取締役、監査役、執行役に対する金銭債権

＜文　例＞

　取締役に対する金銭債権が1,000千円ある。

2）割引手形・裏書手形

＜文　例＞

　受取手形割引高5,000千円、受取手形裏書譲渡高3,000千円

③ 損益計算書に関する注記（関係会社との取引高）

＜文　例＞

　関係会社との営業取引高（売上高）が100,000千円ある。
　関係会社との営業取引以外の取引高（利息受取高）が50,000千円ある。

攻略のコツ

① 受取手形の科目組替に慣れる。
② 貸倒見積高の算定方法をチェックする。
③ 金銭債権に関連する注記事項をチェックする。

重要語句解説

●更生会社・再生会社・破産会社

更生会社は、会社更生法の規定により更生手続の開始決定を受けた会社。再生会社は、民事再生法の規定により再生手続の開始決定を受けた会社。破産会社は、破産法の規定により破産宣告を受けた会社。

まとめ

① 金銭債権の範囲
　1）営業債権→受取手形、売掛金
　2）営業外債権→未収金、長期未収金、立替金、短期貸付金、長期貸付金
② 営業外受取手形→短期固定資産売却受取手形、長期固定資産売却受取手形
　→短期有価証券売却受取手形、長期有価証券売却受取手形
　→短期貸付金、長期貸付金
③ 関係会社に対する金銭債権の表示（独立科目表示法、科目別注記法、一括注記法）
④ 貸倒引当金の表示（科目別間接控除法、一括間接控除法、直接控除科目別注記法、直接控除一括注記法）
⑤ 貸倒引当金の繰入額と戻入額の表示
　1）総額（両建）表示の場合
　　イ）貸倒引当金戻入額→営業外収益
　　ロ）貸倒引当金繰入額→営業債権の場合→販売費及び一般管理費
　　　→営業外債権の場合→営業外費用

2）純額表示の場合

イ）繰入額＜戻入額→差額を営業外収益に計上

ロ）繰入額＞戻入額→差額を設定対象債権の割合等の按分基準によって、販売費及び一般管理費または営業外費用に計上

⑥ 前期以前発生の債権が貸倒れた場合

1）貸倒引当金の残高≧貸倒れた債権の額
→貸倒引当金を充当

2）貸倒引当金の残高＜貸倒れた債権の額
貸倒引当金の不足額が当期中の状況変化により生じた場合
→貸倒引当金を充当し、不足分は貸倒損失を計上

⑦ 貸倒損失のP/L表示区分

1）営業債権に対する貸倒損失→販売費及び一般管理費

2）営業外債権に対する貸倒損失→営業外費用

⑧ 割引手形・裏書手形の処理

1）受取手形の帳簿価額と入金額（決済額）との差額を手形売却損として営業外費用に計上する。

2）割引または裏書きに付した時点で、遡求義務という新たな債務が発生するため、時価により評価し、保証債務を計上する。

⑨ 不渡手形に対する取立不能見込額のP/L表示

1）原因債権が営業債権の場合…貸倒引当金繰入額→販売費及び一般管理費

2）原因債権が営業外債権の場合…貸倒引当金繰入額→営業外費用

⑩ 不渡手形の表示…1年基準→流動資産
→投資その他の資産

⑪ 破産更生債権等の表示…1年基準→流動資産
→投資その他の資産

⑫ 債権の区分と貸倒見積高の算定との関係

1）一般債権──►貸倒実績率法

2）貸倒懸念債権─┬►財務内容評価法
└►キャッシュ・フロー見積法

3）破産更生債権等──►財務内容評価法

⑬ 前期貸倒債権の取立→償却債権取立益を計上

⑭ 注記事項

設　例

> 必要な仕訳を示しなさい。
> 1　決算整理前残高試算表の一部（単位：千円）
> 　売　掛　金　450,000　　短期貸付金　50,000
> 　貸倒引当金　　12,000
> ※　貸倒引当金は売掛金および貸付金の期末残高に対して２％を計上すること。
> 2　決算整理前残高試算表の一部（単位：千円）
> 　売　掛　金　450,000　　短期貸付金　50,000
> 　貸倒引当金　　7,000
> ※　貸倒引当金は売掛金および貸付金の期末残高に対して２％を計上する。なお、繰入額は設定対象債権の割合に応じて販売費及び一般管理費または営業外費用に計上すること。

解　説

（仕訳の単位：千円）

1

貸倒引当金	12,000	貸倒引当金戻入額	12,000
貸倒引当金繰入額	＊10,000	貸倒引当金	10,000

＊　(450,000千円＋50,000千円)×２％＝10,000千円

※　P/L表示

12,000千円－10,000千円＝2,000千円（戻入額）

※　P/L営業外収益：貸倒引当金戻入額　2,000千円

2

貸倒引当金	7,000	貸倒引当金戻入額	7,000
貸倒引当金繰入額	10,000	貸倒引当金	10,000

※　P/L表示

10,000千円－7,000千円＝3,000千円（繰入額）

※　P/L販売費及び一般管理費　貸倒引当金繰入額　2,700千円＊1

P/L営業外費用　貸倒引当金繰入額　300千円＊2

＊1　$(10{,}000\text{千円}-7{,}000\text{千円})\times\dfrac{450{,}000\text{千円}}{450{,}000\text{千円}+50{,}000\text{千円}}$

$=2{,}700\text{千円}$

＊2　$(10{,}000\text{千円}-7{,}000\text{千円})\times\dfrac{50{,}000\text{千円}}{450{,}000\text{千円}+50{,}000\text{千円}}$

$=300\text{千円}$

設　例

〔資料〕

残高試算表の一部　（単位：千円）

売　掛　金	300,000	
長期貸付金	20,000	

売掛金および長期貸付金の期末残高に対して、貸倒引当金を以下のとおり計上する（会計期間：X4年４月１日～X5年３月31日）。

⑴　売掛金のうち250,000千円は、経営状態に重大な問題が生じていない得意先に対するものであり、過去３年間の貸倒実績率２％により計上する。

⑵　売掛金のうち50,000千円は、当期に民事再生法の規定による再生開始の申し立てを行った得意先Ａ社に対するもの（回収には長期間を要する）であるが、Ａ社の親会社から40,000千円の債務保証を取り付けている。

　Ａ社に対する債権については、保証による回収見込額を控除した残額の全額を貸倒引当金として計上する。

⑶　長期貸付金については、債務者の経営状態が悪化しているため、利息の支払いが滞っており、債務の弁済に重大な問題が生じている。

　当該長期貸付金については、債務者から預かった担保の処分見込額14,000千円を控除した残額に対して40％の貸倒引当金を計上する。

解　説

貸借対照表の一部（単位：千円）

Ⅰ　流動資産	
⋮	
売　　掛　　金	250,000
貸倒引当金	△　5,000
⋮	
3　投資その他の資産	
破産更生債権等	50,000
貸倒引当金	△ 10,000
長期貸付金	20,000
貸倒引当金	△　2,400
⋮	

(1)　得意先A社に対する売掛金の振替（仕訳の単位：千円）
　　破産更生債権等　50,000／売　　掛　　金　50,000

(2)　売掛金のうち250,000千円（一般債権）に係る貸倒引当金
　　貸倒実績率法により設定
　　250,000千円×２％＝5,000千円

(3)　売掛金のうち50,000千円（破産更生債権等）に係る貸倒引当金
　　財務内容評価法により設定
　　50,000千円－40,000千円＝10,000千円

(4)　長期貸付金（貸倒懸念債権）に係る貸倒引当金
　　財務内容評価法により設定
　　(20,000千円－14,000千円)×40％＝2,400千円

MEMO

学習度チェック

7　有価証券

重要度A ★★★

●学習のポイント●

① 有価証券の範囲→金融商品取引法で規定
② 有価証券の表示科目と判定基準
③ 組合等に対する出資の表示科目
④ 有価証券の売却損益のP/L表示区分
⑤ 売買目的有価証券の処理・表示
⑥ 満期保有目的の債券の処理・表示
⑦ 子会社株式・関連会社株式の処理・表示
⑧ その他有価証券の処理・表示
⑨ 有価証券の減損処理
⑩ 有価証券の売買の認識
⑪ 証券投資信託
⑫ ゴルフ会員権
⑬ 注記事項

有価証券の範囲

会計学上の有価証券は、金融商品取引法第2条に規定する有価証券をその内容とする。その主要なものは次のとおりである。

(1)　国債証券
(2)　地方債証券
(3)　社債券
(4)　株　券
(5)　新株予約権証券
(6)　受益証券

有価証券の表示科目

① 株　式

判　断　基　準			表示区分	表示科目
売買目的			流動資産	**有価証券**
売買目的以外	関係会社の株式	一年内処分	流動資産	**関係会社株式**
		一年超処分	投資その他の資産	**関係会社株式**
	上記以外		投資その他の資産	**投資有価証券**

※　親会社株式に関する注記

株式会社が親会社株式を保有している場合には、親会社株式の各表示区分別の金額を貸借対照表等に関する注記として開示しなければならない。

＜文　例＞

イ）親会社株式500千円が流動資産に計上されている。

ロ）親会社株式1,500千円が投資その他の資産に計上されている。

② 債　券

判　断　基　準		表　示　区　分	表　示　科　目
売買目的		流動資産	**有価証券**
売買目的以外	1年内償還		
	1年超償還	投資その他の資産	**投資有価証券**

③ 表示科目ごとの内容

1）有価証券（流動資産）

売買目的有価証券および一年内に満期の到来する有価証券

2）投資有価証券（投資その他の資産）

流動資産に属しない有価証券で、関係会社の株式以外のもの

3）関係会社株式（流動資産または投資その他の資産）

関係会社の株式で売買目的有価証券以外のもの

組合等に対する出資の表示科目

判断基準	表示区分	表示科目
組合等に対する出資	投資その他の資産	**出資金**
上記組合等が関係会社の場合	投資その他の資産	**関係会社出資金**

売却損益のP/L表示区分と表示科目

① 売却損益 P/L表示区分

保有目的		P/L表示区分
売買目的有価証券		営業外費用（収益）
満期保有目的の債券		――――
子会社株式及び関連会社株式		特別損失（利益）
その他有価証券	臨時的な売却損益	特別損失（利益）
	上記以外	営業外費用（収益）

有価証券の売却損益のP/L表示区分は、売却の対象となる有価証券の保有目的によって決定される。

なお、その他有価証券に係る売却損益のうち、業務提携目的で保有するその他有価証券に係る売却損益は一般に臨時性が認められることから、特別損失（利益）に表示する。市場の動向を見ながら転売することを目的として保有するその他有価証券に係る売却損益はある程度経常性が認められれば、営業外費用（収益）に表示することになる。

② 売却損益のP/L表示科目

B/S 表示科目	P/L 表示科目
有価証券	有価証券売却損（益）
投資有価証券	投資有価証券売却損（益）
関係会社株式	関係会社株式売却損（益）

有価証券の売却損益のP/L表示科目は、売却した有価証券のB/S表示科目の後に「売却損（益）」を付す（例えば「有価証券売却損」）。

売買目的有価証券の処理・表示

① 売買目的有価証券とは、時価の変動により利益を得ることを目的として保有する有価証券をいう。

「金融商品に関する会計基準」（以下「金融基準」という。）によれば、売買目的有価証券は、時価をもって貸借対照表価額とし、評価差額は当期の損益として処理されることとなる。

② 売買目的有価証券に係る評価差額の処理

1）時価が取得原価を上回った場合

（時価＞取得原価の場合）

有　価　証　券　××／有価証券評価益　××

　　　　　　　　　　　＜P/L営業外収益＞

2）時価が取得原価を下回った場合

（時価＜取得原価の場合）

有価証券評価損　××／有　価　証　券　××

＜P/L営業外費用＞

売買目的有価証券に係る評価差額の計上は洗い替え方式または切り放し方式のいずれによることもできるが、洗い替え方式の場合、翌期首において振り戻し処理が必要となる。

③ 洗い替え方式とは、当期末において時価評価した場合でも、翌期首において帳簿価額を取得原価（原始取得原価）に戻す会計処理を行う方法である。したがって、翌期において時価と比較される帳簿価額は、再び原始取得原価となる。

④ 切り放し方式とは、当期末において時価評価したならば、翌期以後は時価評価した後の帳簿価額を新たな取得原価とみなす方法である。したがって、翌期において時価と比較される帳簿価額は、当期末の時価となる。

⑤ 貸借対照表および損益計算書の表示

1）貸借対照表

売買目的有価証券は、貸借対照表上、「有価証券」の科目で流動資産に表示する。

2）損益計算書

イ）時価評価に係る有価証券評価益→営業外収益

ロ）時価評価に係る有価証券評価損→営業外費用

なお、有価証券評価益と有価証券評価損の両方が生じている場合には、相殺して純額で表示する。

満期保有目的の債券の処理・表示

① 満期保有目的の債券は取得原価により評価する。ただし、債券金額より低い価額または高い価額で取得した場合において、その差額の性格が金利の調整と認められるときは、償却原価法に基づいて評価しなければならない。

② 満期保有目的の債券につき、償却原価法を適用する場合の仕訳処理は、以下のようになる。

1）債券金額より高い価額で取得した場合

→差額を一定の方法で貸借対照表価額から減算する。

有価証券利息	××	投資有価証券 または 有価証券	×× ××

2）債券金額より低い価額で取得した場合

→差額を一定の方法で貸借対照表価額に加算する。

投資有価証券 または 有価証券	×× ××	有価証券利息	××

なお、償却原価法には(1)利息法と(2)定額法の２つがあり、利息法を原則とする。

③ 貸借対照表および損益計算書の表示

1）貸借対照表

１年以内に満期の到来する社債その他の債券は、貸借対照表上、「有価証券」の科目で流動資産に表示する。

上記以外の社債その他の債券は、貸借対照表上、「投資有価証券」の科目で投資その他の資産に表示する。

2）損益計算書

金利調整差額の償却額は、当期の損益としてP/L営業外収益または営業外費用の区分に「有価証券利息」の科目で表示する。

子会社株式・関連会社株式の処理・表示

① 子会社株式及び関連会社株式の評価

子会社株式及び関連会社株式は、取得原価により評価する。

② 貸借対照表の表示

投資その他の資産の区分に「関係会社株式」の科目で表示する。

その他有価証券の処理・表示

① その他有価証券とは、売買目的有価証券、満期保有目的の債券、子会社株式及び関連会社株式以外の有価証券をいう。

② 市場価格のあるその他有価証券の評価および評価差額の処理

市場価格（時価）のあるその他有価証券は、期末における時価により評価する。評価差額は、洗い替え方式に基づき、全部純資産直入法（原則）に基づき処理するが、継続適用を要件として部分純資産直入法（例外）により処理することもできる。

1）全部純資産直入法

全部純資産直入法とは、評価差額（時価と原価の差額）に税効果会計を適用したうえで純資産の部に計上する方法である。

2）部分純資産直入法

部分純資産直入法とは、時価が取得原価を上回る銘柄に係る評価差額（評価差益）に税効果会計を適用したうえで純資産の部に計上し、時価が取得原価を下回る銘柄に係る評価差額（評価差損）は当期の損失として損益計算書に計上する方法である。

ここでは、原則法である全部純資産直入法に基づく処理を学習する。

③　全部純資産直入法に基づく評価差額の処理（仕訳の単位：千円）

1）株式の場合

イ）時価が取得原価を上回った場合

＜決算時＞　時価による評価替

借方	金額	貸方	金額
投資有価証券	××	繰延税金負債＊1	××
		その他有価証券評価差額金＊2	××

＜翌期首＞　再振替仕訳

借方	金額	貸方	金額
繰延税金負債	××	投資有価証券	××
その他有価証券評価差額金	××		

ロ）時価が取得原価を下回った場合

＜決算時＞　時価による評価替

借方	金額	貸方	金額
繰延税金資産＊1	××	投資有価証券	××
その他有価証券評価差額金＊2	××		

＜翌期首＞　再振替仕訳

借方	金額	貸方	金額
投資有価証券	××	繰延税金資産	××
		その他有価証券評価差額金	××

＊1　評価差額×法定実効税率＝繰延税金負債（資産）

＊2　評価差額－繰延税金負債（資産）
＝その他有価証券評価差額金（純資産の部に計上）

2）債券の場合

イ）時価が償却原価を上回った場合

＜決算時＞　時価による評価替等

借方	金額	貸方	金額
投資有価証券	××	有価証券利息	××
投資有価証券	××	繰延税金負債＊1	××
		その他有価証券評価差額金＊2	××

＜翌期首＞　再振替仕訳

借方	金額	貸方	金額
繰延税金負債	××	投資有価証券	××
その他有価証券評価差額金	××		

ロ）時価が償却原価を下回った場合

＜決算時＞　時価による評価替等

借方	金額	貸方	金額
投資有価証券	××	有価証券利息	××
繰延税金資産＊1	××	投資有価証券	××
その他有価証券評価差額金＊2	××		

＜翌期首＞　再振替仕訳

借方	金額	貸方	金額
投資有価証券	××	繰延税金資産	××
		その他有価証券評価差額金	××

＊1　償却原価法適用後の評価差額×法定実効税率
　　＝繰延税金負債（資産）

＊2　償却原価法適用後の評価差額－繰延税金負債（資産）
　　＝その他有価証券評価差額金

※　市場価格のあるその他有価証券のうち、債券金額と取得価額との差額が金利の調整と認められる債券については、最初に償却原価法（利息法または定額法）を適用し、償却原価法適用後の帳簿価額（償却原価）と時価との評価差額を洗い替え方式に基づき処理する。

④　市場価格のないその他有価証券の評価

1）社債その他の債券については、取得原価または償却原価法に基づいて算定された価額から貸倒見積高に基づいて算定された貸倒引当金を控除した価額により評価する。

2）社債その他の債券以外の有価証券については、取得原価により評価する。

⑤　貸借対照表および損益計算書の表示

1）貸借対照表

イ）表示科目

・1年以内に満期の到来する社債その他の債券
　→「有価証券」の科目で流動資産に表示

・親会社株式
　→「関係会社株式」の科目で流動資産又は投資その他の資産に表示

・上記以外のその他有価証券
　→「投資有価証券」の科目で投資その他の資産に表示

ロ）その他有価証券の評価差額

純資産の部の株主資本の次に「評価・換算差額等」の区分を設け、「その他有価証券評価差額金」の科目で表示する。

なお、全部純資産直入法を適用している場合には、評価差益部分と評価差損部分とを相殺した純額を「その他有価証券評価差額金」として表示する。

有価証券の減損処理

① 有価証券の減損処理とは、売買目的有価証券を除く全ての有価証券に適用される処理であり、強制評価減と実価法をその内容とする。

	対　象	適用要件	B/S価額
強制評価減	市場価格のある有価証券で、売買目的有価証券以外のもの	①時価の著しい下落 ②原価までの回復見込なしまたは不明	時　価
実　価　法	市場価格のない株式出資金（関係会社出資金を含む）	実質価額の著しい低下	実質価額

※ 「時価の著しい下落」および「実質価額の著しい低下」とは、時価または実質価額が取得原価に比べておおむね50%以下に下落した場合をいう。

② 評価差額の処理

減損処理を適用した場合に生じた評価差損は、切り放し方式に基づき、当期の損失として処理する。したがって、減損処理を受けた有価証券については、評価切下げ後の簿価を翌期首における取得原価とし、次期以後は評価切下げ後の簿価と時価または実質価額を比較して評価差額を算定する。

③ 損益計算書の表示

減損処理を適用した場合の評価差額は、「投資有価証券評価損」等の科目で特別損失に表示する。

④ 出資金の評価

出資金は有価証券ではないが、市場価格のないその他有価証券と同様の評価を行う。したがって、原則は原価法による評価を行うが、特則として実質価額が著しく低下した場合には、実価法の適用を受けることとなる。

なお、実価法の適用により生じた評価損は、「出資金評価損」または「関係会社出資金評価損」の科目で特別損失に表示する。

有価証券の売買の認識

① 約定日基準（原則）

約定日基準とは、売買約定日に買手側は有価証券の発生を、売手側は有価証券の消滅の認識を行う基準である。

よって、買手側は約定日からその有価証券に対する市場変動リスクを負っているため、約定日から受渡日の間に決算日をむかえる場合には、当該有価証券を時価評価した場合に生ずる評価損益を認識することとなる。

ここでは、原則である約定日基準に基づく処理を学習する。

1）売買目的有価証券の場合

（単位：千円）

	買　手　側	売　手　側
約定日	有　価　証　券　×× ／**未　払　金**　××	**未　収　金**　×× ／有　価　証　券　×× ／**有価証券売却益**　××
決算日 評価替	有　価　証　券　×× ／**有価証券評価益**　××	処理なし
翌期首	＜洗い替え方式＞ 有価証券評価損　×× ／有　価　証　券　×× ＜切り放し方式＞ 処理なし	処理なし
受渡日 ・決済	未　払　金　×× ／現金及び預金　××	現金及び預金　×× ／未　収　金　××

2）その他有価証券の場合

（単位：千円）

	買　手　側	売　手　側
約定日	投資有価証券　×× ／**未　払　金**　××	**未　収　金**　×× ／投資有価証券　×× ／**投資有価証券売却益**　××
決算日 評価替	投資有価証券　×× ／**繰延税金負債**　×× ／**その他有価証券評価差額金**　××	処理なし
翌期首	＜洗い替え方式＞ 繰延税金負債　×× その他有価証券評価差額金　×× ／投資有価証券　×× ※切り放し方式は採用できない。	処理なし
受渡日 ・決済	未　払　金　×× ／現金及び預金　××	現金及び預金　×× ／未　収　金　××

証券投資信託

① 証券投資信託の受益証券の評価

1）評　価

預金と同様の性格をもつ証券投資信託の受益証券は、取得原価をもって貸借対照表価額とする。

時価のある上場投資信託等の受益証券は時価をもって貸借対照表価額とする。

2）評価差額の処理

時価評価した場合の評価差額の処理は、有価証券における評価差額の処理に準じ、当該受益証券の保有目的に応じて処理される。

イ）当該受益証券が売買目的有価証券に該当する場合

当該評価差額を「有価証券評価損（益）」として営業外収益または営業外費用に計上する。

ロ）当該受益証券がその他有価証券に該当する場合

当該評価差額について、全部純資産直入法または部分純資産直入法を適用して処理する。

② 証券投資信託の受益証券の表示科目

証券投資信託の受益証券のうち、次のものは有価証券として流動資産に表示する。

・1年以内に償還されるもの
・キャッシュ・フロー計算書において資金の範囲に含めているもの
・売買目的で保有しているもの
・預金と同様の性格を有するもの

上記に該当しない場合には、原則として投資有価証券として投資その他の資産に表示する。

剰余金の処分による配当を受けた場合の会計処理

配当の原資		会計処理
その他利益剰余金（繰越利益剰余金）		受取配当金
その他資本剰余金	売買目的有価証券	受取配当金
	上記以外	帳簿価額から減額

① その他利益剰余金（繰越利益剰余金）の処分による配当を受けた場合

その他利益剰余金（繰越利益剰余金）の処分による配当を受けた場合には、配当受取額を受取配当金として処理する。

② その他資本剰余金の処分による配当を受けた場合

1）配当の対象となる有価証券が売買目的有価証券の場合

配当の対象となる有価証券が売買目的有価証券であり、期末に時価評価され評価差額が損益計算書に計上されている場合には、配当に伴う価値の低下が期末時価に反映されているため、配当の原資にかかわらず受取配当金として P/L 計上することが適切である。

したがって、配当の対象となる有価証券が売買目的有価証券である場合は、配当受取額を受取配当金として処理する。

2）配当の対象となる有価証券が売買目的有価証券以外の場合

その他資本剰余金の処分による配当は、基本的には投資の払戻しの性格を持つことから、それらの配当を受けた株主の側では、その配当の対象となる有価証券が売買目的有価証券である場合を除き、原則として配当受取額を配当の対象である有価証券の帳簿価額から減額する。

ゴルフ会員権

① ゴルフ会員権の会計処理

1）預託金制（預託金方式）

預託金制（預託金方式）のゴルフ会員権は、預託保証金が債権としての性格を有することから、原則として金銭債権に準じて処理する。

預託金制のゴルフ会員権は取得原価をもって貸借対照表価額とする。ただし、時価の著しい下落等、預託保証金の回収可能性に疑義が生じた場合には以下のような処理を行う。

イ）時価がある場合

時価が著しく下落し、かつ、回復の可能性が合理的に立証できない場合、時価の下落が預託保証金を上回る部分については評価損を計上し、預託保証金の範囲内については預託保証金に対する貸倒引当金を設定する。

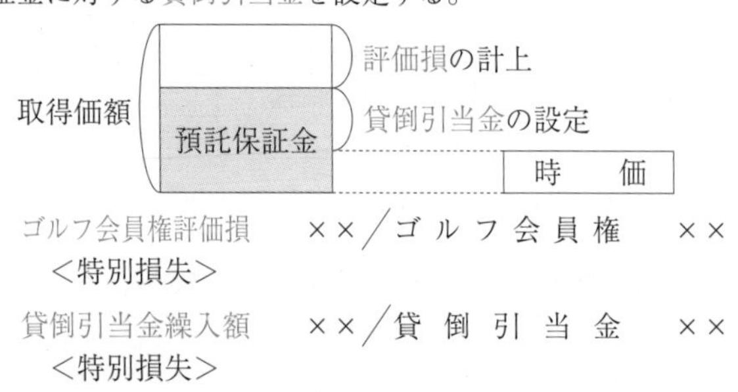

ロ）時価がない場合

預託保証金の回収可能性に疑義が生じた場合には、貸倒引当金を設定する。

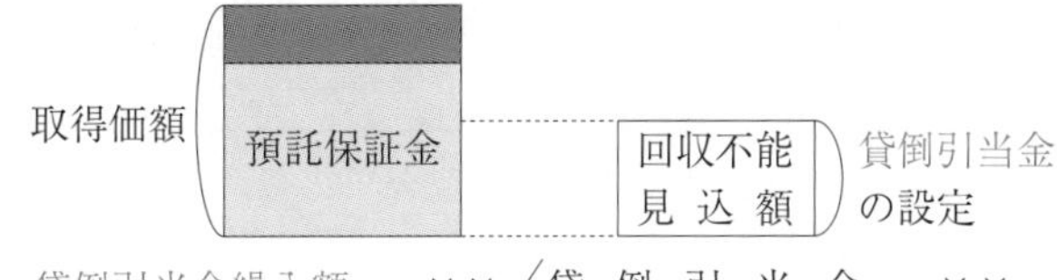

貸倒引当金繰入額　　××／貸　倒　引　当　金　　××
<特別損失>

※　■の部分は入会金や事務手数料等に該当する部分であり、会員資格が消滅しても返還されない部分である。返還されるのは預託保証金部分のみであるため、この預託保証金部分について回収可能性を考慮し、貸倒引当金を設定する。

②　ゴルフ会員権のB/S表示

ゴルフ会員権については、「ゴルフ会員権」の科目をもって投資その他の資産の区分に表示する。

有価証券に関連する注記事項

①　**重要な会計方針**（有価証券の評価基準および評価方法）

―<文　例>―

有価証券の評価は以下のとおりである。

①　売買目的有価証券は時価法（評価差額は切り放し方式により処理し、売却原価は総平均法により算定）により評価している。

②　満期保有目的の債券は償却原価法（利息法）により評価している。

③　子会社株式は移動平均法による原価法により評価している。

④　市場価格のあるその他有価証券は決算期末日の市場価格等に基づく時価法（評価差額は全部純資産直入法により処理し、売却原価は移動平均法により算定）を採用している。

⑤　市場価格のないその他有価証券は移動平均法による原価法により評価している。

② 貸借対照表等に関する注記

1）有価証券を担保に供している場合

＜文　例＞

投資有価証券のうち10,000千円を長期借入金12,000千円の担保に供している。

2）親会社株式を保有している場合

＜文　例＞

親会社株式が以下のとおり計上されている。
流動資産計上分500千円　投資その他の資産計上分1,500千円

③ 損益計算書に関する注記

関係会社との取引高

＜文　例＞

関係会社との営業取引以外の取引高（有価証券売却高）が2,000千円ある。

攻略のコツ

① 有価証券の表示科目および表示区分に注意する。
② 売買目的有価証券、満期保有目的の債券、子会社株式・関連会社株式、その他有価証券の期末評価およびB/S・P/L表示を明確にする。
③ 証券投資信託の受益証券、ゴルフ会員権の期末評価およびB/S・P/L表示を明確にする。

重要語句解説

●償却原価法

金融資産または金融負債を債権額または債務額と異なる金額で計上した場合において、当該差額に相当する金額を弁済期または償還期に至るまで毎期一定の方法で取得価額に加減する方法をいう。

●利息法

利息法とは、帳簿価額に実効利子率を乗じた金額を、各期の利息配分額として計上し、これとクーポン利息との差額を金利調整差額の償却額として、帳簿価額に加減する方法である。

●定額法

定額法とは、金利調整差額を取得日から償還期までの期間で除して(月割計算)各期の損益に配分する方法をいう。

●証券投資信託

証券投資信託とは、多数の投資家から集められた資金を１つの基金（ファンド）にまとめ、運用の専門家である投資信託会社が投資家に代わって公社債や株式などに分散投資し、その成果を分配金として投資家に還元する仕組みの証券貯蓄をいう。

まとめ

① 有価証券の範囲→国債証券、地方債証券、社債券、株券、新株予約権証券、受益証券

② 有価証券の表示科目→有価証券、投資有価証券、関係会社株式

③ 組合等に対する出資の表示科目→出資金、関係会社出資金

④ 有価証券の売却損益のP/L表示区分
1）売買目的有価証券→営業外費用（収益）
2）子会社株式・関連会社株式→特別損失（利益）
3）その他有価証券→臨時的な売却損益→特別損失（利益）
→上記以外→営業外費用（収益）

⑤ 売買目的有価証券
1）時価により評価し、貸借対照表上、「有価証券」の科目で流動資産に表示する。
2）時価評価に係る評価益・評価損は、相殺したうえでP/L営業外収益または営業外費用に計上

⑥ 満期保有目的の債券
1）取得原価または償却原価により評価する。
2）１年以内に満期の到来するもの→有価証券
上記以外のもの →投資有価証券
3）金利調整差額の償却額→有価証券利息

⑦ 子会社株式・関連会社株式→取得原価で評価

⑧ その他有価証券
→時価をもって貸借対照表価額とし、評価差額は税効果会計を適用したうえで、全部純資産直入法または部分純資産直入法により処理

⑨ 有価証券の減損処理→強制評価減、実価法

⑩ 有価証券の売買の認識→約定日基準

⑪ 証券投資信託の受益証券の評価・表示

⑫ 剰余金の処分による配当を受けた場合の会計処理
1）その他利益剰余金の処分による配当
→受取配当金
2）その他資本剰余金の処分による配当
→売買目的有価証券→受取配当金
→売買目的有価証券以外→帳簿価額から減額

⑬ ゴルフ会員権の処理・表示

設例

当社（当期はX4年７月１日からX5年６月30日まで）は、Ｔ社がX4年７月１日に以下の条件で発行した社債を発行と同時に全額取得した。
<発行条件>
額面金額：100,000千円　　発行価額：95,000千円
償還期間：５年　　　　　　利　　率：年利３％
利 払 日：９月末および３月末の年２回
取得価額と額面金額との差額は、金利の調整部分であると認められる。
当社は、当該社債をその他有価証券に分類し処理することとした。また、この社債の期末時価は98,500千円である。
以上のことから、全部純資産直入法による決算時の決算整理仕訳および翌期首の再振替仕訳を示しなさい。なお、金利調整差額については、定額法により処理することとし、法定実効税率は40%として計算すること。

解説

（仕訳の単位：千円）

<決算時>時価による評価替等

借方	金額	貸方	金額
投資有価証券	1,000	有価証券利息 ＊1	1,000
投資有価証券	2,500	繰延税金負債 ＊2	1,000
		その他有価証券評価差額金 ＊3	1,500

<翌期首>再振替仕訳

借方	金額	貸方	金額
繰延税金負債	1,000	投資有価証券	2,500
その他有価証券評価差額金	1,500		

＊1　$(100{,}000\text{千円} - 95{,}000\text{千円}) \times \frac{12\text{カ月}}{60\text{カ月}} = 1{,}000\text{千円}$

＊2　(98,500千円－96,000千円)×40%＝1,000千円

＊3　(98,500千円－96,000千円)－1,000千円＝1,500千円

設　例

次に示す有価証券の当期末および翌期末の決算整理仕訳を示しなさい。

なお、法定実効税率は40%とする。

銘　柄	当期末簿価	当期末時価	翌期末時価	備　考
A社株式	30,000千円	13,000千円	15,000千円	長期保有を目的としたその他有価証券に該当

A社株式は、当期末において時価が著しく下落しており、取得原価まで回復する見込はない。

解　説　　（仕訳の単位：千円）

<当期末>

借方	金額	貸方	金額
投資有価証券評価損＊1	17,000	投資有価証券	17,000

<翌期末>

借方	金額	貸方	金額
投資有価証券	2,000	繰延税金負債＊2	800
		その他有価証券評価差額金＊3	1,200

＊1　強制評価減（または実価法）の適用により生じた評価損は、税法上も損金算入が認められるため、会計上と税法上で差異は生じない。したがって、当期末において税効果会計の適用はない。

＊2　（15,000千円－13,000千円）×40%＝800千円

＊3　（15,000千円－13,000千円）－800千円＝1,200千円

MEMO

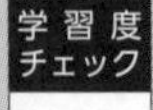

8　棚卸資産

重要度A ★★★

●学習のポイント●

① 減耗損・評価損が計上されるのはどのような場合か
② 減耗損・評価損のP/L表示区分と表示科目
③ 売上原価の付加項目の会計処理および表示方法
④ 売価還元法の原価率の求め方
⑤ 棚卸資産に関連する注記事項

棚卸資産の表示科目

① 商業と製造業で、保有する棚卸資産の内容が異なる。
② 商業における貯蔵品は、販売・一般管理活動において使用する消耗品を内容とする。

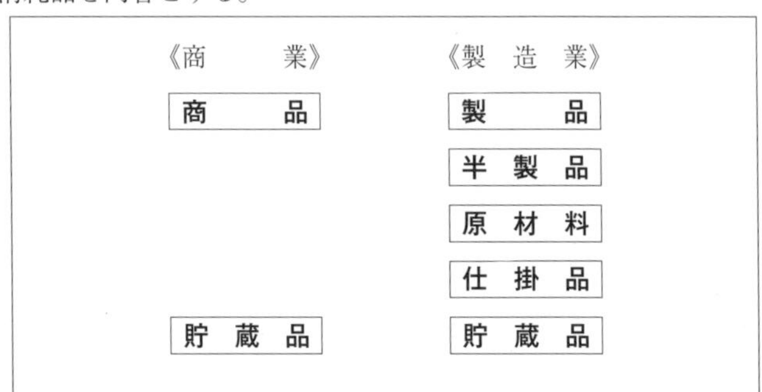

棚卸資産の評価

① 評価方法

1）通常の販売目的で保有する棚卸資産は、取得原価をもって貸借対照表価額とし、期末における正味売却価額が取得原価よりも下落している場合（棚卸資産の収益性が低下している場合）には、当該正味売却価額をもって貸借対照表価額とする。この場合において、取得原価と当該正味売却価額との差額は当期の費用として処理する。

2）ただし、棚卸資産については、期末において期末帳簿棚卸高と期末実地棚卸高に差異が生じることがある。この場合には、正味売却価額への切り下げに先立って、減耗損の把握をすることとなる。

② **減耗損・評価損の計算手順**

（手順１）減耗損を計算する。
減耗損＝（帳簿数量－実地数量）×原価

（手順２）品質低下・陳腐化を原因とする評価損を計算する。
評価損＝不良品数量×（原価－正味売却価額(不良品)）

（手順３）時価下落を原因とする評価損を計算する。
評価損＝良品数量×（原価－正味売却価額(良品)）

③ **P/Lの期末商品棚卸高とB/S商品の計算**

１）P/Lの期末商品棚卸高…帳簿棚卸高（＝帳簿数量×原価）
２）B/Sの商品………………帳簿棚卸高－減耗損・評価損

減耗損・評価損のP/L表示区分

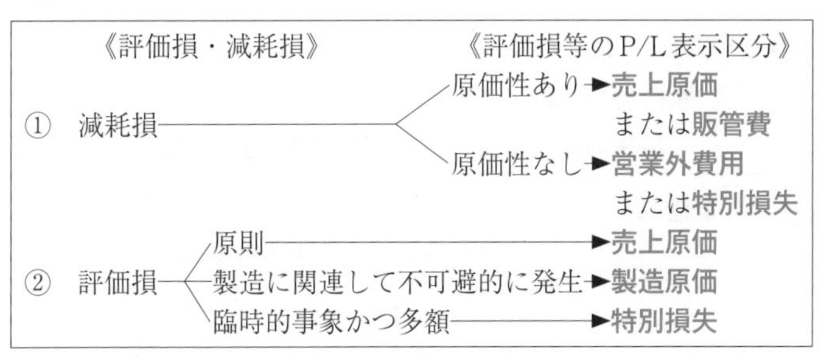

※ 「原価性あり」とは正常なもの、「原価性なし」とは異常なものを指す。

減耗損・評価損の表示科目

① **減耗損の表示科目**→B/S表示科目の後に「減耗損」を付す。
② **評価損の表示科目**→B/S表示科目の後に「評価損」を付す。

売上原価の内訳科目とした場合のP/L表示

(単位：千円)

営　業　費　用		
(1) 売　上　原　価		
期首商品棚卸高	200	
当期商品仕入高	1,000	
合　　計	1,200	
期末商品棚卸高	300	
差　　引	900	
商品減耗損	80	
商品評価損	20	1,000
売上総利益		×××

売価還元法

① P/L期末商品棚卸高

期末商品棚卸高＝期末商品帳簿売価×原価率

※　**原価率**

$$=\frac{\text{期首商品原価}+\text{当期商品仕入原価}}{\text{期首商品売価}+\text{当期商品仕入原価}+\text{原始値入額}+\text{値上額}-\text{値上取消額}-\text{値下額}+\text{値下取消額}}$$

売価還元法における原価率は、当期における販売可能な商品の全数量（つまり期首数量と当期仕入数量の合計）について、その原価と期末時点における最終的な売価との比較によって計算されることとなる。

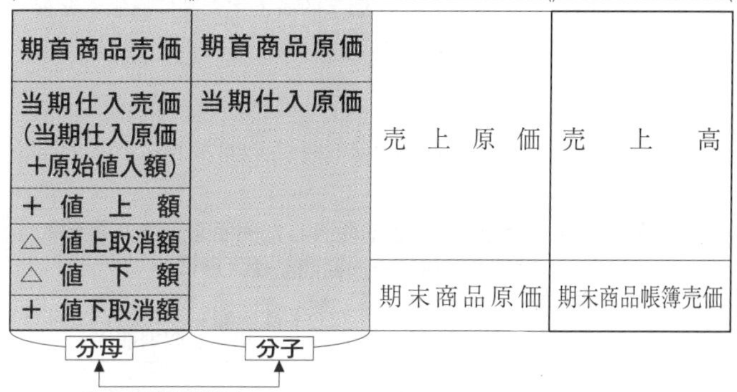

② **商品減耗損の算定**

売価還元法を用いて、期末の商品を評価した場合にも棚卸減耗損が把握されることとなるが、その棚卸減耗損は以下の算式を用いて求めることとなる。

商品減耗損＝(期末商品帳簿売価－期末商品実地売価)×原価率

ただし、「売価による期末商品棚卸高」のみが与えられている場合(「期末商品実地売価」が与えられていない場合)には、減耗は生じていないものとして計算する。

③ **収益性の低下に基づく帳簿価額の切下げ**

1) 原　則

期末における正味売却価額が帳簿価額よりも下落しているときは、当該正味売却価額をもって貸借対照表価額とする。

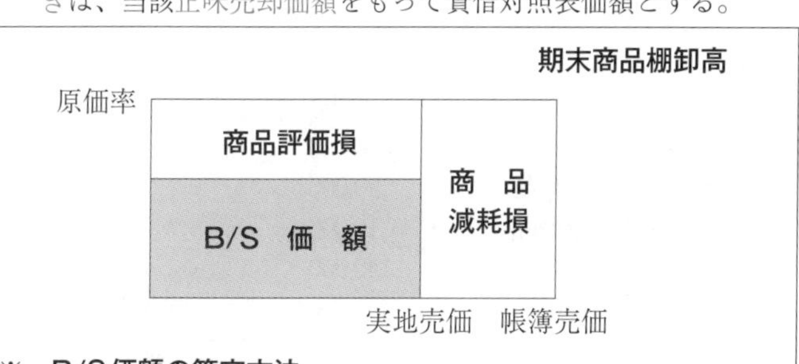

※　**B/S価額の算定方法**

① **正味売却価額**

② **期末商品実地売価×原価率**

③ **①と②のうち、いずれか低い方の金額**

なお、正味売却価額が期末商品実地売価に原価率を乗じて算定した額を上回る場合には、期末商品実地売価に原価率を乗じて算定した額が貸借対照表価額となる。

2）特　例

次に示す値下額および値下取消額を除外した売価還元法の原価率により求められた評価額を収益性の低下に基づく簿価切下額を反映したものとみなすことができる。

※　値下額および値下取消額を除外した売価還元法の原価率

$$=\frac{\text{期首商品原価}+\text{当期商品仕入原価}}{\text{期首商品売価}+\text{当期商品仕入原価}+\text{原始値入額}+\text{値上額}-\text{値上取消額}}$$

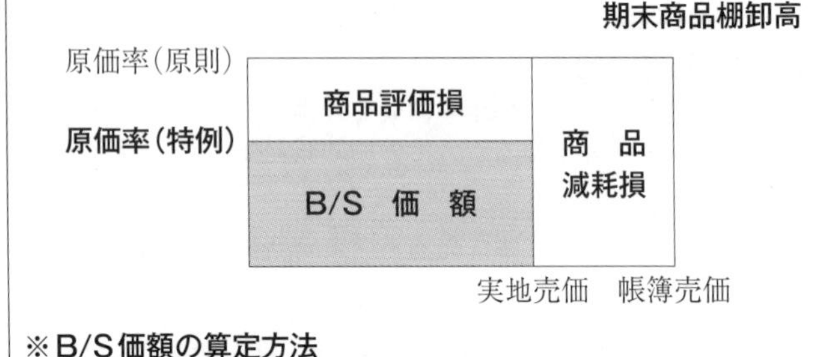

売上原価の付加項目

①　合併や営業譲渡により商品（製品）を引き継いだ場合

（単位：千円）

売上原価			
期首商品棚卸高		40,000	
当期商品仕入高		70,000	
合併引継商品	（＋）	20,000	
営業譲受引継商品	（＋）	10,000	
合計		140,000	
期末商品棚卸高		30,000	110,000

② **災害や盗難により商品（製品）が滅失した場合**　（単位：千円）

売　上　原　価		
期首商品棚卸高	40,000	
当期商品仕入高	100,000	
合　　　計	140,000	
商品盗難損失振替高	5,000	
期末商品棚卸高	45,000	90,000
⋮		
⋮		
特　別　損　失		
商品盗難損失	5,000	

③ **商品（製品）を見本品として提供した場合**　（単位：千円）

売　上　原　価		
期首商品棚卸高	50,000	
当期商品仕入高	100,000	
合　　　計	150,000	
見本品費振替高	1,000	
期末商品棚卸高	39,000	110,000
⋮		
販売費及び一般管理費		
見　本　品　費	1,000	

④ **商品（製品）を自家消費した場合**（単位：千円）

売上原価		
期首商品棚卸高	50,000	
当期商品仕入高	100,000	
合計	150,000	
器具備品振替高	5,000	
福利厚生費振替高	1,000	
期末商品棚卸高	44,000	100,000
⋮		
販売費及び一般管理費		
福利厚生費	1,000	
【B/S】		
有形固定資産		
器具備品	5,000	

棚卸資産に関連する注記事項

① **重要な会計方針（棚卸資産の評価基準および評価方法）**

＜文　例＞

イ）商品は先入先出法による原価法（収益性の低下による簿価切下げの方法）により評価している。

ロ）商品は売価還元法（収益性の低下による簿価切下げの方法）により評価している。

② **損益計算書に関する注記**

＜文　例＞

関係会社との営業取引高（売上高）が3,000千円ある。

重要語句解説

●収益性の低下

収益性の低下とは、資産から得られるであろう将来キャッシュ・フローの低下を意味する。

●正味売却価額

「棚卸資産の評価に関する会計基準」における正味売却価額とは、売価から見積追加製造原価および見積販売直接経費を控除したものであり、売却市場における時価を意味する。

まとめ

① 棚卸資産の評価

1）通常──────────►取得原価

2）収益性が低下した場合►正味売却価額

② 減耗損・評価損の計算

1）減耗損►減耗損＝(帳簿数量－実地数量)×原価

2）評価損►評価損＝該当数量×(原価－正味売却価額)

③ 売価還元法

P/L期末商品棚卸高＝期末商品帳簿売価×原価率（※）

※　原価率

$$=\frac{\text{期首商品原価}+\text{当期商品仕入原価}}{\text{期首商品売価}+\text{当期商品仕入原価}+\text{原始値入額}+\text{値上額}-\text{値上取消額}-\text{値下額}+\text{値下取消額}}$$

④ 減耗損・評価損の表示

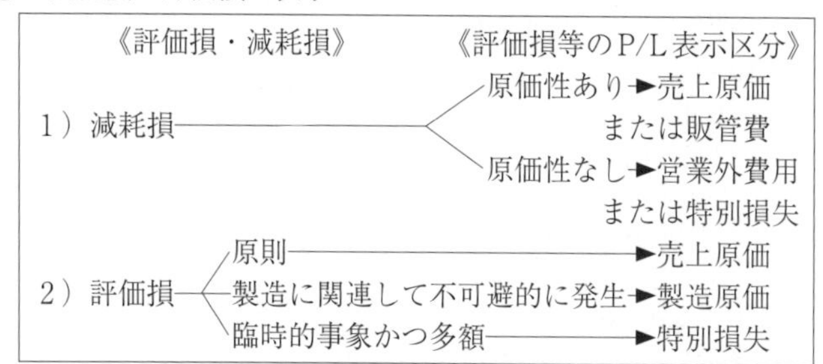

設　例

次の資料により、売価還元法を採用した場合に損益計算書に計上される(1)期末商品棚卸高の額、(2)商品減耗損の額、(3)貸借対照表に計上される商品の額を求めなさい。

〔資料〕

		〈原　価〉	〈売　価〉
1	期首商品棚卸高	24,800千円	40,000千円
2	当期商品仕入高	100,000千円	―――
3	原始値入額	―――	53,000千円
4	値上額	―――	3,000千円
5	値上取消額	―――	1,000千円
6	値下額	―――	5,000千円
7	値下取消額	―――	2,000千円
8	期末商品帳簿棚卸高	―――	30,000千円
9	期末商品実地棚卸高	―――	25,000千円

なお、期末における正味売却価額は16,100千円である。

解　説　　　　　　　　　　　　　　　　　　　　　（単位：千円）

(1)　原価率の算定

$$\frac{24,800+100,000}{40,000+100,000+53,000+3,000-1,000-5,000+2,000}=0.65\text{（原価率）}$$

(2)　P/L期末商品棚卸高

30,000千円×0.65＝19,500千円
帳簿売価　原価率

(3)　P/L商品減耗損

(30,000千円－25,000千円)×0.65＝3,250千円
帳簿売価　実地売価　原価率

(4)　B/S商品

①　16,100千円
正味売却価額

②　25,000千円×0.65＝16,250千円
実地売価　原価率

③　①<②　∴16,100千円

(5)　P/L商品評価損

16,250千円－16,100千円＝150千円

MEMO

学習度チェック

9　有形固定資産

重要度A ★★★

●学習のポイント●

① 有形固定資産の表示科目と範囲
② 投資不動産のB/S表示
③ 取得に伴う付随費用の範囲
④ 減価償却の方法と減価償却費のP/L表示区分
⑤ 減価償却累計額の表示
⑥ 売却に伴う会計処理
⑦ 除却に伴う会計処理
⑧ 買換の会計処理
⑨ 耐用年数の短縮に伴う会計処理
⑩ 災害にあった場合の会計処理
⑪ 圧縮記帳
⑫ リース資産の会計処理
⑬ 減損会計
⑭ 有形固定資産に関連する注記事項

有形固定資産の表示科目

表示科目	留意点
建物	①店舗、工場、倉庫、事務所など。 ②社宅、社員寮、保養所などの経営付属建物を含む。
構築物	鉄塔、舗装道路、塀などの土木設備または工作物をいう。
機械装置	各種機械と装置を合わせた科目（機械のみで表示する場合もある）。
車両運搬具	鉄道、自動車などの車両と運搬具を合わせた科目（車両のみで表示する場合もある）。
工具器具備品	工具、器具、備品を合わせた科目（器具備品または備品として表示する場合もある）。
土地	社宅敷地、運動場、保養所敷地などの経営付属用の土地を含む。
建設仮勘定	設備の建設のために支出した手付金や前渡金。

有形固定資産の範囲

① 有形固定資産とは、営業の用に供するため、長期にわたって使用することを目的として所有する資産をいう。

② 「営業の用」に含まれるもの

1）現に営業の用に供していなくても、将来営業の用に供する目的で所有するもの

イ）遊休施設（休止固定資産）

ロ）未稼働設備

2）自社の営業目的のために他社に貸与しているもの

イ）自社の製品加工、部品製作などの下請を専業とする会社に貸与している作業用設備

ロ）自社製品の販売を担当する子会社などに貸与している当該販売設備

投資不動産のB/S表示

投資不動産とは、投資目的で所有する土地や建物などの不動産。

《内　　容》		《B/S表示科目》	《表示区分》
①	投資目的で所有する土地 →	**投資土地**	**<投資その他の資産>**
②	投資目的で所有する建物 →	**投資建物**	**<投資その他の資産>**

取得に伴う付随費用の範囲

① 有形固定資産の取得原価に含める付随費用には、当該有形固定資産の取得から、それを営業の用に供するまでに要した一切の支出額が含まれる。

② 付随費用の具体例（仲介手数料、立退料、改造費、取壊費用、整地費用、諸税金など）

※ 有形固定資産の保有に係る諸税金（固定資産税など）、購入資金を借り入れた場合の利息、割賦購入の場合の割賦利息は付随費用に含まれない。

減価償却の方法

① **定額法**

$$\text{毎期の減価償却費} = (\text{取得原価} - \text{残存価額}) \times \frac{1}{\text{耐用年数}}$$

② **定率法**

$$\text{毎期の減価償却費} = (\text{取得原価} - \text{期首の減価償却累計額}) \times \text{償却率}$$

③ **級数法**

$$\text{取得m年目の減価償却費} = (\text{取得原価} - \text{残存価額}) \times \text{m年目の償却率}$$

$$\text{m年目の償却率} = \frac{\text{耐用年数} - (m - 1)}{\dfrac{\text{耐用年数} \times (1 + \text{耐用年数})}{2}}$$

④ **生産高比例法**

$$\text{毎期の減価償却費} = (\text{取得原価} - \text{残存価額}) \times \frac{\text{毎期の実際利用高}}{\text{推定総利用高}}$$

⑤ **計算上の留意点**

1）期中に取得した有形固定資産→営業の用に供した日から期末日までの月割計算（1月未満は切上げ）

2）期中に除却または売却した有形固定資産→期首から除却日・売却日までの月割計算（1月未満は切上げ）

減価償却費の表示

種　　類	表示科目	表示場所
①製品の製造に係る有形固定資産の減価償却費	減価償却費	C/R・経費
②商品・製品の販売に係る有形固定資産の減価償却費	減価償却費	P/L・販売費及び一般管理費
③遊休機械に係る減価償却費	遊休機械減価償却費	営業外費用
④投資建物に係る減価償却費	投資建物減価償却費	営業外費用

減価償却累計額の表示

(単位：千円)

原則的方法	
科目別間接控除法	
1　有形固定資産	
建物	100,000
減価償却累計額	**△20,000**
車両運搬具	50,000
減価償却累計額	**△10,000**
器具備品	10,000
減価償却累計額	**△ 5,000**
土地	200,000

(単位：千円)

例外的方法(1)	
一括間接控除法	
1　有形固定資産	
建物	100,000
車両運搬具	50,000
器具備品	10,000
減価償却累計額	**△35,000**
土地	200,000

(単位：千円)

例外的方法(2)	
直接控除科目別注記法	
1　有形固定資産	
建物	80,000
車両運搬具	40,000
器具備品	5,000
土地	200,000

(注) 減価償却累計額がそれぞれ控除されている。

建物	**20,000千円**
車両運搬具	**10,000千円**
器具備品	**5,000千円**

(単位：千円)

例外的方法(3)	
直接控除一括注記法	
1　有形固定資産	
建物	80,000
車両運搬具	40,000
器具備品	5,000
土地	200,000

(注) 減価償却累計額35,000千円が有形固定資産から控除されている。

※　一括間接控除法では、減価償却累計額は減価償却を行う有形固定資産の末尾に表示するのが一般的。

※　問題文中に「一括掲記の方法」と指示がある場合は、「一括間接控除法」によって表示する。

有形固定資産の売却に伴う会計処理

減価償却累計額（期首残高）	××	有形固定資産（取得原価）	××
減価償却費（当期分）	××		
現金及び預金（売却価額）	××		
固定資産売却損（借方差額） ＜特別損失＞	××		

有形固定資産の除却に伴う会計処理

① 除却した有形固定資産に処分価値がある場合

減価償却累計額（期首残高）	××	有形固定資産（取得原価）	××
減価償却費（当期分）	××		
除却固定資産（見積処分価額） ＜流動資産＞	××		
固定資産除却損（借方差額） ＜特別損失＞	××		

除却した有形固定資産に処分価値がある場合には、①見積処分価額を「除却固定資産」として流動資産に表示し、②除却時点の未償却残高（簿価）と当該見積処分価額との差額を「固定資産除却損」として特別損失に表示する。

※ 見積処分価額＝スクラップ売却価額－解体・撤去費用

なお、期首から除却日までに係る減価償却費の計上を忘れないこと。

② 除却固定資産を処分（売却）した場合

(1) 売却価額＜見積処分価額

現金及び預金（売却価額）	××	除却固定資産（見積処分価額）	××
除却固定資産売却損 ＜特別損失＞	××		

(2) 売却価額＞見積処分価額

現金及び預金（売却価額）	××	除却固定資産（見積処分価額）	××
		除却固定資産売却益 ＜特別利益＞	××

買換の会計処理

借方		貸方	
減価償却累計額（期首残高）	××	旧有形固定資産（取得原価）	××
減価償却費（当期分）	××	現金及び預金	××
新有形固定資産（取得原価）	××	固定資産売却益 ＜特別利益＞	××

※　処理するにあたって以下の点に留意すること。

下取資産の簿価 ┐
　　　　　　　 ├ 差額→売却損益
下取資産の時価 ┤
　　　　　　　 ├ 差額→取得資産の値引
　　　下取価額 ┘

耐用年数の短縮に伴う会計処理

借方		貸方	
減価償却費	××	減価償却累計額	××

耐用年数を短縮した場合には、当該短縮を行った有形固定資産の未償却残高及び短縮後の残存耐用年数に基づき減価償却計算を行う。

災害にあった場合の会計処理

①　**保険が付されていない場合→**被災直前の帳簿価額を「固定資産災害損失」として特別損失に計上

借方		貸方	
減価償却累計額（期首残高）	××	有形固定資産（取得原価）	××
減価償却費（当期分）	××		
固定資産災害損失（借方差額） ＜特別損失＞	××		

②　**保険が付されている場合→**被災直前の帳簿価額を「保険未決算」として流動資産に表示

借方		貸方	
減価償却累計額（期首残高）	××	有形固定資産（取得原価）	××
減価償却費（当期分）	××		
保険未決算（借方差額） ＜流動資産＞	××		

③　**保険金の支払いが決定した場合→**未収金と保険未決算との差額を「保険差益」（特別利益）または「固定資産災害損失」（特別損失）として計上

1）未収金＞保険未決算の場合

借方	金額	貸方	金額
未収金（保険金額）	××	保険未決算	××
		保険差益 ＜特別利益＞	××

2）未収金＜保険未決算の場合

借方	金額	貸方	金額
未収金（保険金額）	××	保険未決算	××
固定資産災害損失 ＜特別損失＞	××		

圧縮記帳（直接減額方式）

① 圧縮記帳とは、国庫補助金により取得した固定資産について、取得原価を一定額だけ減額して帳簿価額とするもの。

② 圧縮記帳を行った場合の有形固定資産の減価償却は、実際の取得原価によらず、圧縮後の金額を基礎にして計算される。

（仕訳の単位：千円）

借方	金額	貸方	金額
器具備品圧縮損 ＜特別損失＞	1,000	器具備品圧縮額	1,000

（単位：千円）

間接控除法		直接控除法	
1　有形固定資産		1　有形固定資産	
器具備品	2,000	器具備品	1,000
器具備品圧縮額	△1,000	減価償却累計額	△100
減価償却累計額	△ 100	**（注）器具備品圧縮額1,000千円が控除されている。**	

ファイナンス・リース資産の会計処理

① ファイナンス・リース取引は通常の売買取引（資産計上）と同様の会計処理を行う。

1）固定資産取得時

借方	金額	貸方	金額
リース資産	××	リース債務 ＜流動負債＞	××

2）リース料支払時

借方	金額	貸方	金額
リース債務	××	現金及び預金	××
支払利息	××		

3）決算時

借方	金額	貸方	金額
減価償却費	××	減価償却累計額	××
リース債務	××	長期リース債務 ＜固定負債＞	××

減損会計

① 減損会計とは

減損とは、資産の収益性の低下により投資額の回収が見込めなくなった状態であり、減損処理とは、そのような場合に一定の条件の下で回収可能性を反映させるように帳簿価額を減額する会計処理である。

② 対象資産

減損会計が適用される資産は、固定資産に分類される資産である。ただし、他の基準に減損処理に関する定めがある資産については、対象資産から除かれることとなる。

よって、具体的には、有形固定資産に分類される土地、建物、機械装置などや、無形固定資産に分類される借地権、のれん、特許権など、さらに投資その他の資産に分類される投資不動産などが減損会計の適用対象資産となる。

③ 減損会計に係る会計処理

減損の兆候があり、資産または資産グループから得られる割引前将来キャッシュ・フローの総額が帳簿価額を下回るために、減損損失を認識すべきと判断された資産または資産グループについては、帳簿価額を回収可能価額まで減額し、当該減少額を減損損失として計上する。その際には、原則として当該減損損失相当額を、固定資産の帳簿価額から直接減額する。

1）減損損失の計算

減損損失＝資産または資産グループの帳簿価額 －資産または資産グループの回収可能価額

なお、減損損失を測定する際に算定される回収可能価額とは、正味売却価額（売却による回収額）と使用価値（使用による回収額）のうち、いずれか高い金額をいう。

イ）正味売却価額

正味売却価額とは、資産または資産グループの時価から処分費用見込額を控除して算定される額をいう。

ロ）使用価値

使用価値とは、資産または資産グループの継続的使用と使用後の処分によって生ずると見込まれる将来キャッシュ・フローの現在価値をいう。

2）会計処理

イ）個別の資産に減損処理を適用した場合

借方		貸方	
減　損　損　失 ＜特別損失＞	××	建　　　　　物	××

ロ）資産グループに対して減損処理を適用した場合

借方		貸方	
減　損　損　失 ＜特別損失＞	××	建　　　　　物	××
		機　　　　　械	××
		土　　　　　地	××

資産グループに対して減損処理を適用した場合には、資産グループの帳簿価額と回収可能価額の差額を減損損失として特別損失に計上する。

また、資産グループについて認識された減損損失は帳簿価額に基づく比例配分等の合理的な方法により、当該資産グループの各構成資産に配分する。

④　財務諸表への表示

1）貸借対照表への表示

イ）有形固定資産の場合

(a)　直接控除形式（原則）

減損処理前の取得原価から減損損失を直接控除し、控除後の金額をもって表示する。

建　　　　物	700	
減価償却累計額	△200	500

※　建物の取得原価が1000、減損損失が300生じている場合

(b)　独立間接控除形式（例外）

減価償却を行う有形固定資産については、当該資産に対する控除科目として、減損損失累計額の科目をもって掲記することができる。また、有形固定資産に対する控除科目として一括して控除することも認められる。

科目別間接控除の場合				一括間接控除の場合			
建　　　物	1,000			建　　　物	1,000		
減価償却累計額	△200			減価償却累計額	△200	800	
減損損失累計額	△300	500		備　　　品	200		
				減価償却累計額	△100	100	
				減損損失累計額		△300	600

(c)　合算間接控除形式（例外）

減損損失累計額を減価償却累計額に合算して、減価償却累計額の科目をもって掲記することができる。また、有形

固定資産に対する控除科目として一括して控除することも認められる。

なおこの場合、減価償却累計額に減損損失累計額が含まれている旨を注記しなければならない。

科目別間接控除の場合	一括間接控除の場合
建　　物 1,000 減価償却累計額 △500 500	建　　物 1,000 備　　品 200 減価償却累計額 △600 600
(注) 減価償却累計額には減損損失累計額300千円が含まれている。	**(注) 減価償却累計額には減損損失累計額300千円が含まれている。**

ロ）無形固定資産の場合

無形固定資産の場合は、直接控除形式のみとなる。

2）損益計算書への表示

減損損失の科目をもって、特別損失の区分へ表示する。

有形固定資産に関連する注記事項

① 重要な会計方針

有形固定資産の減価償却の方法

＜文　例＞

有形固定資産のうち建物（投資建物を含む）、備品は定額法により、車両は定率法により減価償却している。

ただし、所有権移転外ファイナンス・リース取引については、リース期間を耐用年数とし、残存価額を零とする定額法によっている。

② 貸借対照表等に関する注記

1）有形固定資産を担保に供している場合

＜文　例＞

土地のうち10,000千円を長期借入金15,000千円の担保に供している。

2）圧縮記帳の表示方法につき、直接控除法により表示している場合

＜文　例＞

器具備品から圧縮額3,000千円が控除されている。

3）減損損失累計額を減価償却累計額に合算して、減価償却累計額の科目をもって表示した場合

＜文　例＞

減価償却累計額には、減損損失累計額300千円が含まれている。

③　損益計算書に関する注記

関係会社との取引高

＜文　例＞

関係会社との営業取引以外の取引高（固定資産売却高）が、100,000千円ある。

攻略のコツ

①　遊休施設や投資不動産に係るB/S表示、減価償却費のP/L表示を確実にできるようにする。

②　有形固定資産を取得、あるいは下取りに出す場合、下取価額、時価、簿価を考慮して買換の処理をする。

重要語句解説

●圧縮記帳

国庫補助金を受け入れたときに課税されるべき法人税を、固定資産の耐用期間にわたって徐々に課税する課税繰延べのテクニック。

まとめ

① 有形固定資産の表示科目（建物、構築物、機械装置、車両運搬具、工具器具備品、土地、建設仮勘定）

② 有形固定資産の範囲

1）将来営業の用に供する目的で所有するもの（遊休施設、未稼働設備など）

2）当社製品の専業下請会社や当社製品（商品）の販売子会社に対して営業目的のために貸与したもの

③ 投資不動産

1）投資目的で所有する土地→投資土地（投資その他の資産）

2）投資目的で所有する建物→投資建物（投資その他の資産）

④ 取得に伴う付随費用の範囲（仲介手数料、立退料、改造費、取壊費用、整地費用、据付費、試運転費、諸税金）

⑤ 減価償却費の表示

1）製品の製造→C/R・経費

2）商品・製品の販売→ P/L・販売費及び一般管理費

3）遊休施設→遊休機械減価償却費（営業外費用）

4）投資建物→投資建物減価償却費（営業外費用）

⑥ 災害にあった場合の会計処理

1）保険が付されていない場合＝被災直前の帳簿価額→固定資産災害損失（特別損失）

2）保険が付されている場合

イ）保険金の支払が未決定＝保険未決算（流動資産）

ロ）保険金の支払が決定＝保険差益（特別利益）または固定資産災害損失（特別損失）

設　例

> 新車両１台10,000千円の購入にあたり、現在使用中の旧車両を下取りに出した。なお、新車代金と下取価額との差額は小切手で支払うこととする。
> 〈旧車両に関するデータ〉
> 取得原価　9,000千円
> 期首減価償却累計額　4,000千円
> 当期の減価償却費　1,000千円
> 時価　4,500千円
> 下取価額　4,800千円

解　説

（仕訳の単位：千円）

借方	金額	貸方	金額
減価償却累計額	4,000	車両運搬具	9,000
車両運搬具	9,700	現金及び預金	5,200
減価償却費	1,000	固定資産売却益	500

新車両の取得原価：10,000千円－（4,800千円－4,500千円）
＝9,700千円
固定資産売却益：4,500千円－（9,000千円－4,000千円
－1,000千円）＝500千円

設 例

> A器具備品（第12年度期首に取得、取得原価10,000千円、残存価額1,000千円、耐用年数4年）を定額法で償却していたが、第13年度に新型の器具備品が導入され、A器具備品が機能的に著しく減価した。そこで第13年度（当期）において耐用年数を3年に変更した。

解 説

（仕訳の単位：千円）

減価償却費　3,375／減価償却累計額　3,375

第12年度	第13年度（当期）	第14年度	第15年度	
2,250千円	2,250千円	2,250千円	2,250千円	4年で償却
2,250千円	3,375千円	3,375千円		残り2年で償却

→当期の減価償却費　3,375千円※

※ $\{(10{,}000\text{千円} - 1{,}000\text{千円}) - 2{,}250\text{千円}\} \times \frac{1\text{年}}{2\text{年}}$

$= 3{,}375\text{千円}$

設　例

器具備品をファイナンス・リース契約（５年間の均等分割払い）により当期首に取得した。見積現金購入価額は400,000千円であるが、年賦額は105,520千円（元金80,000千円、利息25,520千円）で、毎期末に支払うものとする。
なお、減価償却については定額法（残存価額ゼロ、耐用年数５年）を採用している。

解　説　（仕訳の単位：千円）

(1)　取得時

リース資産 400,000／リース債務 400,000

※　80,000千円×５年＝400,000千円

(2)　年賦額支払時

リース債務 80,000／現金及び預金 105,520
支払利息 25,520／

※　年賦額をリース債務の返済分と支払利息分とに分けて計上する。

(3)　決算時

減価償却費 80,000／減価償却累計額 80,000
リース債務 240,000／長期リース債務 240,000

※　400,000千円÷５年＝80,000千円

学習度チェック

10　無形固定資産

重要度B ★★

●学習のポイント●

① 無形固定資産の表示科目と範囲をマスターする
② 無形固定資産の償却
③ ソフトウェアに関する会計処理

無形固定資産の表示科目と範囲

無形固定資産とは、長期的に営業の用に供される具体的形態をもたない費用性の固定資産である。

表示科目	内　　容
の　れ　ん	合併、買収、営業譲受等による有償取得のれん
特　許　権	特許（高度な発明）を排他的に利用できる権利
商　標　権	商標(文字、図形、記号)を排他的に利用できる権利
借　地　権	建物の所有を目的とする地上権および土地の賃借権
権　利　金	貸借契約締結時に支払われる一時金のうち、契約満了時に返還されないもの
ソフトウェア	コンピュータを機能させるように指令を組み合わせて表現したプログラム等
公共施設負担金	自己が便益を受ける公共施設に係る負担金
共同施設負担金	自己が便益を受ける共同施設に係る負担金

無形固定資産の償却

① 償却期間（法定償却期間など）にわたり、残存価額を零とする定額法により償却する。

なお、償却期間は問題に与えられる。

② 期中に取得したものの償却費は、営業の用に供した日から期末までの月割計算（1月未満は切上げ）をする。

③ 借地権は償却しない。

無形固定資産の表示

① 商業と製造業では償却費の表示場所が異なる。

1）製品の製造→ C/R・経費

2）商品・製品の販売→ P/L・販売費及び一般管理費

② **無形固定資産の記帳・表示**

1）無形固定資産→直接法
2）B/S上は未償却残高が計上される。
3）償却費の表示科目は、B/S表示科目の後に「償却」と付す。

特許権償却　××／特　許　権　××

ソフトウェア

① **自社利用のソフトウェアの処理**

自社利用（社内利用）の場合、その利用により、将来の収益獲得または費用削減効果が確実であることが認められるか否かにより、その会計処理が決定される。

将来の収益獲得または費用削減が確実と認められるか否か
- 認められる場合→無形固定資産
- 認められない場合→費用処理

② **将来の収益獲得または費用削減が確実と認められる場合**

ソフトウェア　××／現金及び預金　××
<無形固定資産>

③ **ソフトウェアの償却**

ソフトウェア償却　××／ソフトウェア　××
<販売費及び一般管理費>

④ **償却方法**

残存価額をゼロとする定額法により、5年以内で償却

無形固定資産に関連する注記事項

重要な会計方針

無形固定資産の償却の方法

<文　例>

・商標権は定額法により償却している。
・のれんは5年間で定額法により償却している。
・自社利用目的のソフトウェアは利用可能期間（5年）に基づく定額法により償却している。

※　のれんおよび権利金並びにソフトウェアは、償却期間に幅があるので、年数も併記する。

重要語句解説

●借地権

店舗用地などの建物の所有を目的とする土地の賃借に伴う支出額（権利金）

まとめ

① 無形固定資産の表示科目

1）のれん、特許権、商標権、借地権、権利金、ソフトウェア、公共施設負担金、共同施設負担金

2）借地権＝建物の所有を目的とする土地の賃借に伴う支出額

② 借地権は償却しない

③ 無形固定資産の償却費の表示

1）製品の製造→C/R・経費

2）その他のものの償却費→P/L・販売費及び一般管理費

④ ソフトウェアの処理・表示

設　例

仮払金90,000千円の内訳は次のとおりである。
1．工場建物の所有を目的とする土地の賃借に伴う権利金　70,000千円
2．本社建物の賃借に伴う一時金の支払額　20,000千円（返還されないものである。）

なお、権利金の当期分の償却額は5,000千円とする。

解　説

（仕訳の単位：千円）

借方	金額	貸方	金額
借地権	70,000	仮払金	90,000
権利金償却	5,000		
権利金	15,000		

設　例

必要な仕訳を示しなさい。

当期首に業務の効率化のため、システム運用ソフトウェアを10,000千円で購入した。このシステムが導入されることにより、本社の経費削減効果が確実に見込まれる。なお、ソフトウェアは、定額法により5年間で償却する。

解　説

（仕訳の単位：千円）

(1)　購入時

借方	金額	貸方	金額
ソフトウェア <無形固定資産>	10,000	現金及び預金	10,000

(2)　決算時

借方	金額	貸方	金額
ソフトウェア償却＊ <販売費及び一般管理費>	2,000	ソフトウェア	2,000

$$＊\quad 10{,}000\text{千円} \times \frac{12\text{カ月}}{60\text{カ月}} = 2{,}000\text{千円}$$

学習度チェック

11 繰延資産

重要度B ★★

●学習のポイント●

① 繰延資産の表示科目と範囲
② 繰延資産の処理方法と償却期間
③ 研究開発費の会計処理および表示
④ 繰延資産に関連する注記事項をマスターする

繰延資産の表示科目と範囲

表示科目	範　　囲（内　　容）
株式交付費	新株の発行または自己株式の処分に係る費用をいう。例えば、株式募集のための広告費、金融機関の取扱手数料、その他株式の交付等のために直接支出した費用をいう。
社債発行費	社債募集のための広告費、金融機関の取扱手数料、証券会社の取扱手数料、社債の登記の登録免許税その他社債発行のために直接支出した費用をいう。（＊1）
創　立　費	会社の負担に帰すべき設立費用をいう。 例えば、定款および諸規則作成のための費用、証券会社の取扱手数料並びに設立当期の登録免許税等をいう。
開　業　費	土地、建物等の賃借料、広告宣伝費、通信交通費、事務用消耗品費、保険料等で、会社成立後営業開始時までに支出した開業準備のための費用をいう。
開　発　費	新技術または経営組織の採用、資源の開発、市場の開拓等のため支出した費用、生産能率の向上または生産計画の変更等により、設備の大規模な配置替えを行った場合等の費用をいう。（＊2）

＊1　新株予約権の発行に係る費用についても、資金調達などの財務活動に係るものについては、社債発行費と同様に取り扱うことができる。

＊2　上記の開発費に該当するものは、開発等のために「特別に」支出したものに限られる。「経常的に」支出するもの（経常

費の性格をもつもの）は資産計上できない。

なお、この場合は、開発費の科目で損益計算書の販売費及び一般管理費に表示することとなる。

繰延資産の処理方法

① 繰延資産の処理方法

繰延資産の処理方法には次の2つがある。

① 原　則 資産計上せずに全額支出した事業年度の費用とする。 ② 例　外 繰延資産として計上したうえで、会社法に基づき償却する。

② 繰延資産の会計処理

1）原　則

(a) 支出時

開　発　費　××／現金及び預金　××
<費　用>

※ 資産計上せずに全額支出した事業年度の費用とする場合は、該当する繰延資産の科目名で損益計算書に表示する。

2）例　外

(a) 支出時

開　発　費　××／現金及び預金　××
<繰延資産>

(b) 決算時

開発費償却　××／開　発　費　××

※ 繰延資産は無形固定資産と同様に直接法によって記帳する。したがって、B/S上は未償却残高が計上される。

なお、償却費の表示科目は各繰延資産のB/S表示科目の後に「償却」と付す。

③ 繰延資産の償却方法

繰延資産について資産計上した場合には、会社法に基づく償却期間以内で定額法等により償却する。

受験上は、「会社法に基づく最長期間で定額法により償却」という指示が出ることが想定されるため、各繰延資産の償却期間について「最長期間が何年か」を覚えることが大切である。

1）株式交付費	→	株式交付のときから3年以内
2）社債発行費	→	社債の償還までの期間
3）創　立　費	→	会社の成立のときから5年以内
4）開　業　費	→	開業のときから5年以内
5）開　発　費	→	支出のときから5年以内

繰延資産の表示

① **費用処理した場合（原則）**

<各費用の表示区分>

1）開発費────────►P/L・販売費及び一般管理費
2）その他の項目──────►P/L・営業外費用

② **繰延資産として計上し、償却した場合（例外）**

<各繰延資産の償却費の表示区分>

1）開発費に係る償却費───►P/L・販売費及び一般管理費
2）その他の項目に係る償却費►P/L・営業外費用

研究開発費の会計処理および表示

研究開発基準によれば研究開発費に該当するものは、すべて発生時に費用として処理し、販売費及び一般管理費として表示する。

借方		貸方	
研究開発費 <販売費及び一般管理費>	××	現金及び預金	××

ただし、製造現場において研究開発活動が行われ、かつ、当該研究開発に要した費用を一括して製造現場で発生する原価に含めて計上しているような場合が認められるようなときには、例外的に当期製造費用に算入することも認められる。

繰延資産に関連する注記事項

重要な会計方針（繰延資産の処理方法）

<文　例>

・株式交付費は3年間で、開発費は5年間で、定額法により償却している。
・株式交付費は、全額支出時の費用として処理している。

攻略のコツ

理論問題の出題が多い。意義、根拠など理論編と連動させながら学習する。

ま と め

① 繰延資産の表示科目（株式交付費、社債発行費、創立費、開業費、開発費）
② 開発費の繰延資産計上→「特別に」支出したものに限る
③ 繰延資産の償却期間
　1）株式交付費→３年
　2）社債発行費→社債の償還期間
　3）創立費・開業費・開発費→５年
④ 償却費の表示
　1）開発費の償却費→販売費及び一般管理費
　2）その他の項目の償却費→営業外費用
⑤ 研究開発費→発生時に費用として処理し、販売費及び一般管理費に表示する。

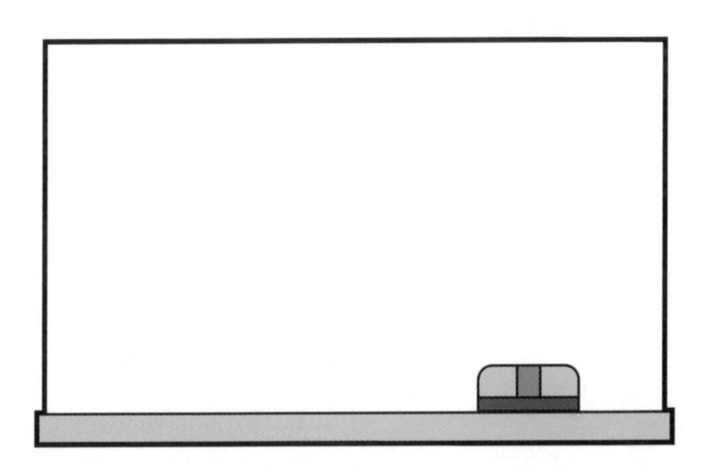

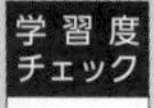

12　金銭債務

重要度A ★★★

●学習のポイント●

① 金銭債務の範囲と表示科目
② 関係会社に対する金銭債務の表示
③ 普通社債に係る処理
④ 金銭債務に関連する注記事項

金銭債務の範囲と表示科目

① 金銭債務とは、将来金銭による支払いを行わなければならない義務をいう。
② 金銭債務は、営業債務と営業外債務に分類される。
③ 営業債務は、正常営業循環基準により流動負債に表示する。
④ 営業外債務は、1年基準を適用して決済期日の長短により流動負債または固定負債に表示する。

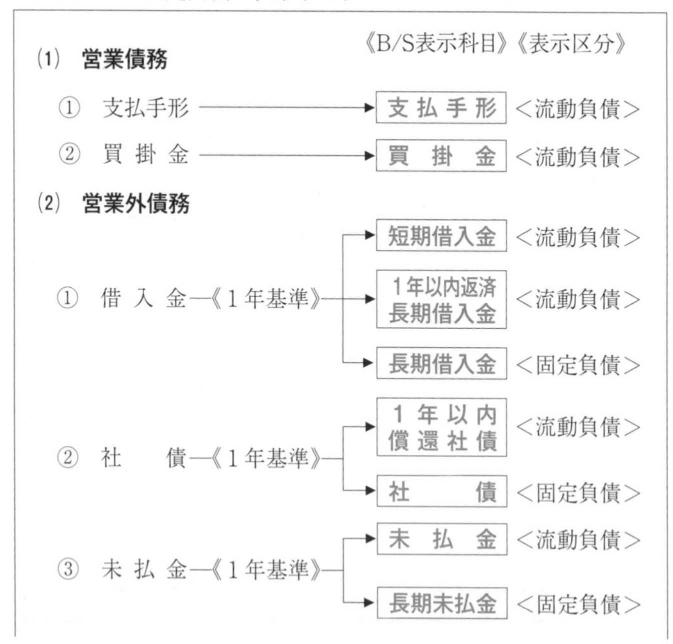

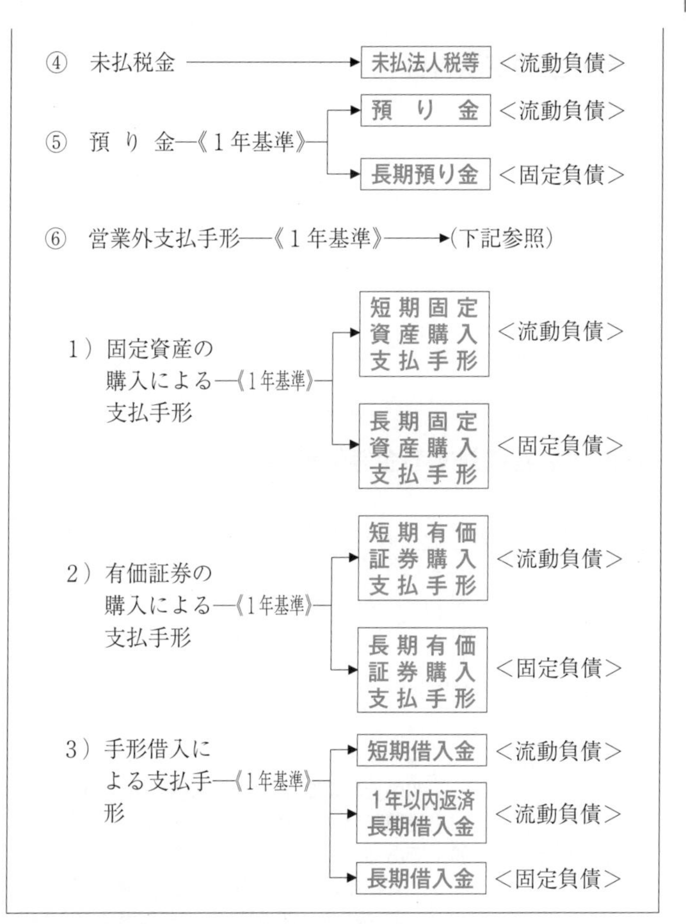

※　流動負債に表示するものには、科目名に「短期」を付すものと付さないものがあるので注意を要する。

※　1年以内償還社債は、当期末において翌期中に償還期限が到来する社債に係る表示科目。

※　前受金は金銭債務ではない。

預り金の表示科目

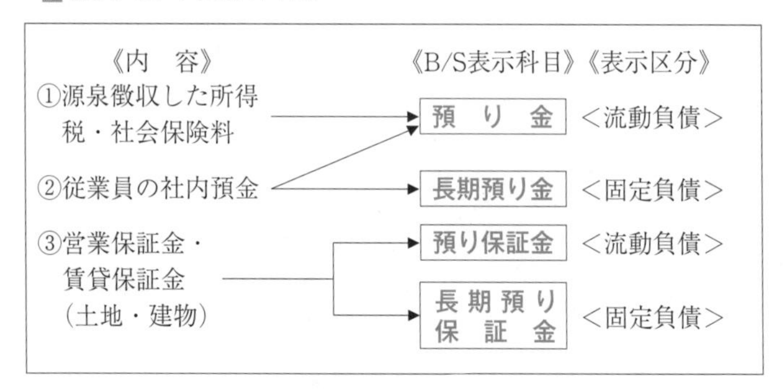

関係会社に対する金銭債務の表示

（単位：千円）

独立科目表示法		科目別注記法		一括注記法	
Ⅰ流動負債		Ⅰ流動負債		Ⅰ流動負債	
支払手形	500	支払手形	700	支払手形	700
関係会社支払手形	**200**	買掛金	500	買掛金	500
買掛金	400	⋮		⋮	
関係会社買掛金	**100**	Ⅱ固定負債		Ⅱ固定負債	
⋮		⋮		⋮	
Ⅱ固定負債		長期借入金	200	長期借入金	200
⋮		**関係会社に対する金銭債務は次のとおりである。**		**関係会社に対する金銭債務は次のとおりである。**	
長期借入金	100	**支払手形**	**200千円**	**短期金銭債務**	**300千円**
関係会社長期借入金	**100**	**買掛金**	**100千円**	**長期金銭債務**	**100千円**
		長期借入金	**100千円**		

普通社債の期末評価

① 割引発行、かつ、利息法による償却原価法を適用する場合

1）発行時

現金及び預金　××／社　債＊　××

＊　収入額で評価する。

2）クーポン利息支払時

社債利息＊1××／現金及び預金＊2××
　　　　　　　　　／社　債＊3××

＊1　利息配分額＝帳簿価額×実効利子率

＊2　クーポン利息支払額

$$=\text{社債金額}\times\text{年利率(クーポン利子率)}\times\frac{\text{月数}}{12\text{カ月}}$$

＊3　貸借差額＝償却額

② 割引発行、かつ、定額法による償却原価法を適用する場合

1）発行時

現金及び預金	××	社債＊	××

＊　収入額で評価する。

2）クーポン利息支払時

社債利息	××	現金及び預金＊	××

＊　クーポン利息支払額

$$=\text{社債金額}\times\text{年利率(クーポン利子率)}\times\frac{\text{月数}}{12\text{カ月}}$$

3）決算時

社債利息＊	××	社債	××

＊　利息配分額$=(\text{社債金額}-\text{収入額})\times\dfrac{\text{当期の月数}}{\text{償還期間の月数}}$

金銭債務に関連する注記事項

① 貸借対照表等に関する注記

1）取締役、監査役、執行役に対する金銭債務

＜文　例＞

取締役に対する金銭債務が10,000千円ある。

2）保証債務

＜文　例＞

A社の金融機関からの借入金に対し、5,000千円の債務保証を行っている。

3）係争事件に係る損害賠償請求

＜文　例＞

B社から商標権の侵害があったとして、損害賠償請求額10,000千円を受け、現在係争中である。

攻略のコツ

営業外債務は1年基準（1年以内か超えるか）によって流動負債または固定負債に表示する。

まとめ

① 金銭債務の範囲と表示科目
　1）営業債務→支払手形、買掛金
　2）営業外債務→短期借入金、1年以内返済長期借入金、長期借入金
　　→1年以内償還社債、社債
　　→未払金、長期未払金
　　→未払法人税等
② 預り金→預り金、長期預り金
　→預り保証金、長期預り保証金
③ 営業外支払手形→短期固定資産購入支払手形、長期固定資産購入支払手形
　→短期有価証券購入支払手形、長期有価証券購入支払手形
　→短期借入金、1年以内返済長期借入金、長期借入金
④ 関係会社に対する金銭債務の表示
⑤ 普通社債の期末評価

MEMO

学習度チェック

13 引当金

重要度A ★★★

●学習のポイント●

① 負債の部に表示される引当金の範囲と表示科目
② 引当金のB/S表示区分と繰入額のP/L表示区分
③ 引当金の目的使用および目的外使用に係る処理
④ 引当金に関連する注記事項

負債の部に表示される引当金の範囲

① 負債の部に表示される引当金の範囲

表示科目	範囲（内容）
賞与引当金	社内規定等により、従業員に対して支給する賞与をあらかじめ見積計上したもの
退職給付引当金	社内規定等により、従業員に対して退職時または退職後に支給する退職給付の当期負担額を見積計上したもの
修繕引当金	通常の修繕に係る費用を見積計上したもの
債務保証損失引当金	債務保証を行っている場合において、主たる債務者に代わって弁済義務を負う可能性が高くなったときに、その代理弁済額を見積計上したもの
損害補償損失引当金	損害賠償請求を受けて係争中の場合において、敗訴による損害賠償義務を負う可能性が高くなったときに、その賠償額を見積計上したもの
役員退職慰労引当金	役員に対して退職時に支給する退職金の当期負担額を見積計上したもの
役員賞与引当金	役員に対して支給する賞与の負担分を見積計上したもの

② **引当金の計上**

1）債務保証損失引当金と損害補償損失引当金は、代理弁済義務や損害賠償義務を負う可能性が低い段階では計上できない。

2）ただし、その場合には潜在的な債務（偶発債務）に係る注記を行わなければならない。

B/S表示区分と繰入額のP/L表示区分

① **B/S表示区分と繰入額のP/L表示区分**

項　　目	B/S表示区分	繰入額のP/L表示区分
賞与引当金	流動負債	販売費及び一般管理費
退職給付引当金	固定負債	販売費及び一般管理費
修繕引当金	流動負債	販売費及び一般管理費
役員退職慰労引当金	固定負債	販売費及び一般管理費
役員賞与引当金	流動負債	販売費及び一般管理費
債務保証損失引当金	流動負債	特別損失
損害補償損失引当金	流動負債	特別損失

※　退職給付引当金に係る詳細は、「テーマ14　退職給付会計」において学習する。

② **B/S表示区分の考え方**

負債の部に表示される引当金は1年基準が適用される。したがって、退職給付引当金、役員退職慰労引当金のうち、1年以内に使用される見込のものは流動負債に表示される。

引当金の使用（取崩）

① 目的使用（設定額の範囲内での支出の場合、例：修繕に係る支出）

修繕引当金　××／現金及び預金　××

② 目的使用（設定額を超える支出の場合、例：修繕に係る支出）
引当金の額が適正であった場合

修繕引当金　××／現金及び預金　××
修繕費　××／

③ 目的外使用（期末残高の戻入）

修繕引当金　××／修繕引当金戻入額　××
<営業外収益>

引当金に関連する注記事項

重要な会計方針（引当金の計上基準）

＜文　例＞

引当金の計上基準は次のとおりである。
・賞与引当金は従業員に対して支給する賞与の支出に充てるため、賞与支給対象期間のうち、当期に対応する支給見込額を計上している。
・債務保証損失引当金は債務保証の履行可能性が高くなったため、翌期における代理弁済見込額の全額を計上している。

攻略のコツ

① 負債性引当金のP/L・B/S区分表示に習熟する。
② 重要な会計方針として引当金の計上基準を注記する場合、問題文の指示に従ってその内容を記載する。

まとめ

①
代理弁済義務
損害賠償義務
} ―発生の可能性―
→高い→引当金の計上
→低い→偶発債務の注記

② B/S表示区分
1年基準―
→流動負債
→固定負債

③ 繰入額のP/L表示区分
1）売上高からの控除項目→売上割戻引当金繰入額
2）売上総利益の調整項目→返品調整引当金繰入額
3）販売費及び一般管理費
4）特別損失
} どの引当金繰入額か

設　例

(1)　当期首に修繕を行い12,000千円を支払ったが、この修繕に備えて修繕引当金14,000千円を設定してある。
(2)　当期中に修繕を行い12,000千円を支払ったが、この修繕に備えて修繕引当金10,000千円を設定してある。なお、当該修繕引当金は適正額である。
(3)　当期末における修繕引当金の残高2,000千円を利益に戻入れることとする。
なお、(1)〜(3)の相互関連はない。

解　説

（仕訳の単位：千円）

(1)	修繕引当金	12,000	現金及び預金	12,000
(2)	修繕引当金	10,000	現金及び預金	12,000
	修繕費 <販売費及び一般管理費>	2,000		
(3)	修繕引当金	2,000	修繕引当金戻入額	2,000

学習度チェック

14 退職給付会計

重要度A ★★★

●学習のポイント●

① 利息費用の計算をできるようにする
② 年金資産と期待運用収益の関係について理解する
③ 退職金を支給したときにどのような会計処理が必要となるかを覚える
④ 退職給付会計に関する「差異」を把握し、それぞれどのように処理するかを理解する
⑤ 退職給付会計に関する貸借対照表・損益計算書上の表示を覚える
⑥ 小規模企業等における簡便法の会計処理を覚える

退職給付に関する会計処理の概要

① 退職一時金と企業年金

退職給付会計における「退職給付」に含まれるものとして、具体的には、「退職一時金」と「企業年金」があげられる。

1）退職一時金

退職一時金とは、従業員に対して退職時に支払われる退職金のことである。退職給付会計における退職給付は労働対価の後払いとして位置づけられていることから、労働対価との関係が不明確な「役員退職慰労金」や労働対価というより政策としての性格の強い「割増退職金」は退職給付会計の適用対象外となる。

2）企業年金

企業年金制度とは、企業が従業員に対する退職金の支払いを委託するために、特別法人、生命保険会社などにあらかじめ一定の掛金を支払い、受託した特別法人や生命保険会社が、年金資産の管理・運用や退職した従業員に対する退職金の支払いをするシステムのことをいう。

② 退職給付に関する会計基準によるB/S・P/Lの計上額

退職一時金部分および企業年金部分を包括して、退職給付債務の計算を行い、次のような退職給付会計用のB/S・P/Lを作成し、公表用財務諸表のB/S・P/Lに計上すべき金額を求め、会計処理を行う。

退職給付会計用のB/S

	借方	貸方	
年金の決算書等から金額を入手	年金資産	退職給付債務	退職給付債務等の計算により求める
B/Sに計上される退職給付引当金	退職給付引当金		

退職給付引当金＝退職給付債務－年金資産

退職給付会計用のP/L

	借方	貸方	
退職給付債務等の計算により求める	勤務費用	期待運用収益	期首年金資産×長期期待運用収益率により求める
期首退職給付債務×割引率により求める	利息費用	退職給付費用	P/Lに計上される退職給付費用

退職給付費用＝勤務費用＋利息費用－期待運用収益

1）退職給付債務、勤務費用、利息費用、期待運用収益を計算する。

退職給付に係る会計基準では個人データ等に基づき、数理計算により退職給付債務等を計算する。このとき勤務費用も併せて算定される。算定された退職給付債務に割引率を乗じることにより利息費用を算定する。また、期待運用収益は年金資産に長期期待運用収益率を乗じて算定する。

2）年金資産を把握する。

外部積立ての年金資産がある場合には、これを期末の公正価値（時価）で評価する。年金資産とは、特定の退職給付制度に基づき退職給付に充てるために積み立てられている資産のことをいい、退職給付債務に対する控除項目として扱われる。具体的には、厚生年金基金制度などにおいて保有する資産が該当する。

3）数理計算上の差異

当初予定していた期末退職給付債務や期末年金資産の額と実際の差を数理計算上の差異として把握する。これは、発生した期から費用処理する方法と発生した期の翌期から費用処理する方法を選択することができる。

4）当期の費用を算定する。

1）で算定した勤務費用、利息費用および2）で算定した数理計算上の差異の費用処理額から、年金資産に対して合理的に見込まれる運用収益を差引くと、退職給付費用が算定される。

退職給付債務

① 退職給付債務の算定

退職給付債務は、退職給付見込額のうち、当期末までに発生していると認められる額を一定の割引率および残存勤務期間（予想される退職時期から現在までの期間をいう）に基づき割引計算を行うことにより算定される。したがって、退職給付債務の算定は以下の手順で行う。

1）退職給付見込額の算定

2）退職給付見込額のうち当期末までの発生額の算定

3）当期末までの発生額の割引現在価値の算定

4）退職給付債務の算定

なお、上記1）から4）までのそれぞれの内容は専門的で、かつ、資料も与え難いため、ほとんどの問題で退職給付債務の金額は直接与えられることが想定される。

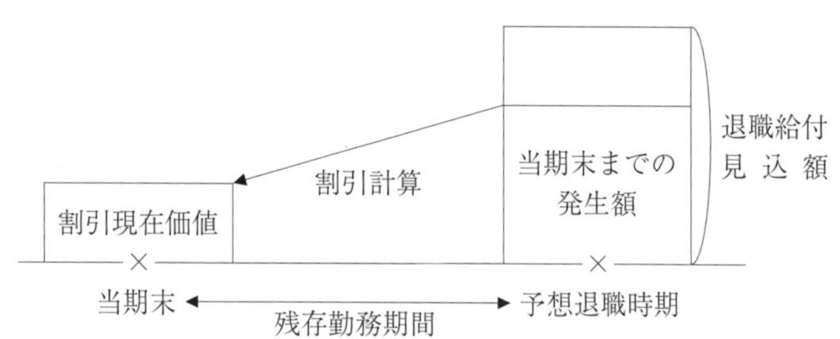

上記の図のように計算された各予想退職時期ごとの割引現在価値を定年までの期間につきそれぞれ計算し、それらを合計したものがその従業員の退職給付債務となる。

勤務費用と利息費用

① 勤務費用

勤務費用とは、一期間の労働の対価として発生したと認められる退職給付をいい、割引計算により算定される。

勤務費用は、退職給付見込額のうち当期に発生したと認められる額を一定の割引率および残存勤務期間に基づき割引計算を行うことにより算定される。

なお、具体的な計算は専門的で、かつ、資料も与え難いため、ほとんどの問題で勤務費用の金額は直接与えられることが想定される。

② **利息費用**

利息費用とは、割引期間が1年短くなることによる退職給付債務の増加部分であり、期首の退職給付債務に割引率を乗じることによって算定される。

利息費用＝期首退職給付債務×割引率

※ 勤務費用と利息費用は、期首の時点で1年分の金額を見積もりにより算定することが可能であるため、期首の段階でそれらの金額の計上を行う。

年金資産

① **年金資産**

年金資産とは、特定の退職給付制度に基づき退職給付に充てるために企業外部に積み立てられている資産のことをいい、退職給付債務に対する控除項目として扱われる。

退職給付会計用のB/S

	借方	貸方
	年金資産	退職給付債務
差額 ⇦	退職給付引当金	

なお、年金資産は期末の公正価値（時価）で評価される。

② **期待運用収益**

期待運用収益とは、年金資産の運用により生ずると期待される収益をいい、退職給付費用に対する控除項目として扱われる。

期待運用収益＝期首の年金資産×長期期待運用収益率

※ 期待運用収益は期首の年金資産に長期期待運用収益率を乗じて算定する。

退職金の支給

① **退職金（退職一時金）の直接支給**

企業から直接退職給付が支払われた場合は、支給金額につき退職給付引当金を取り崩す。

退職給付引当金　××／現金及び預金　××

② 企業年金（退職年金）

1）年金基金に掛金を支払った場合

年金基金に対して掛金を支払った場合、当該支払金額につき、次の仕訳を行うこととなる。

退職給付引当金　××／現金及び預金　××

2）年金基金から退職従業員への支払があった場合

仕訳不要

年金基金から退職従業員に対する支払により企業内部の資金が減少するわけではないため、仕訳は不要となる。

数理計算上の差異

① 数理計算上の差異

退職給付債務などの計算をする際に、その計算にあたって基礎率（昇給率、退職率など）という仮定の率を使用することになる。

しかし、基礎率はあくまでも予測数値であるため、実際の退職率や昇給率とは差異が生じたり、場合によっては基礎率の変更が必要になることもある。このようにして生じた差異を「数理計算上の差異」という。

具体的には以下の３つがある。

1）年金資産の期待運用収益と実際運用収益との差異
2）退職給付債務の数理計算に用いた見積数値と実績数値との差異
3）見積数値の変更等により発生した差異

② 数理計算上の差異に係る会計処理

数理計算上の差異は、発生年度または翌期から定額法等により平均残存勤務期間以内の期間（１年を含む）で費用処理することとなる。

なお、費用処理に関する仕訳は次のとおりである。

退職給付費用　××／退職給付引当金　××

過去勤務費用

① 過去勤務費用

過去勤務費用とは、退職給付規程などの改訂によって退職給付水準が改訂されると、退職給付見込額自体が増減する。これに伴って発生した退職給付債務の増加または減少部分を過去勤務費用という。

② 過去勤務費用に係る会計処理

過去勤務費用は発生年度から定額法等により、平均残存勤務期間以内（1年を含む）の期間で費用処理することとなる。

なお、費用処理に関する仕訳は次のとおりである。

退職給付費用　××／退職給付引当金　××

会計基準変更時差異

①　会計基準変更時差異

1）会計基準変更時差異とは、退職給付に係る会計基準の適用初年度の期首における未積立退職給付債務の金額と従来の会計基準により計上された退職給与引当金の金額の差額をいう。

2）会計基準変更時差異に相当する部分も退職給付債務の一部であり、本来は移行時において一時に費用処理すべきものである。しかし、この処理を求めると影響が大きく、退職給付基準を導入するのに大きな障害となるため、一定期間内での分割処理が認められている。

②　会計基準変更時差異に係る会計処理

会計基準変更時差異を各企業が定めた費用処理期間にわたって費用処理し、退職給付引当金の積み増しを行っていく。

なお、会計基準変更時差異は、適用初年度も含め15年以内の一定の年数（1年を含む）にわたり定額法により費用処理することとなる。

退職給付費用　××／退職給付引当金　××

退職給付会計における会計処理

①　金額決定のまとめ

1）退職給付費用

退職給付会計用のP/L

借方	貸方
勤務費用	期待運用収益
利息費用	退職給付費用 P/L
数理計算上の差異の費用処理額	
過去勤務費用の費用処理額	
会計基準変更時差異の費用処理額	

退職給付費用＝勤務費用＋利息費用－期待運用収益
±数理計算上の差異の費用処理額
±過去勤務費用の費用処理額
±会計基準変更時差異の費用処理額

2）退職給付引当金

退職給付会計用のB/S

未認識数理計算上の差異	期末退職給付債務
未認識会計基準変更時差異	
未認識過去勤務費用	
退職給付引当金 B/S	
期末年金資産	

退職給付引当金＝期末退職給付債務±未認識数理計算上の差異
±未認識過去勤務費用
±未認識会計基準変更時差異−期末年金資産

3）差異の費用処理

	費用処理開始時期	費用処理方法	費用処理年数
数理計算上の差異	発生年度または翌期	原則：定額法 例外：定率法	平均残存勤務期間（1年を含む）以内
過去勤務費用	発生年度	原則：定額法 例外：定率法	平均残存勤務期間（1年を含む）以内
会計基準変更時差異	適用初年度	定額法	15年（1年を含む）以内

② 仕訳のまとめ

1）年金掛金の支払い

退職給付引当金　××／現金及び預金　××

2）企業年金からの給付

仕訳不要

3）企業からの直接給付

退職給付引当金　××／現金及び預金　××

4）退職給付費用の計上

退職給付費用　××／退職給付引当金　××

退職給付会計における表示方法

①　貸借対照表への表示

退職給付引当金は貸借対照表上、固定負債の区分に表示される。

②　損益計算書への表示

退職給付費用を損益計算書へ計上する場合、以下のように区分表示される。

	内容	表示区分
退職給付費用	勤務費用・利息費用	販売費及び一般管理費（製造業の場合はC/R・労務費）
	数理計算上の差異の費用処理額＊1	
	過去勤務費用の費用処理額＊1	
	会計基準変更時差異の費用処理額＊2	

＊1　一時費用処理の場合には、特別損失に計上することとなる。
＊2　営業外費用に計上する場合もある。
　ただし、費用処理期間が5年以内でかつ費用処理額に金額的重要性がある場合に限り、特別損失に計上することとなる。

退職給付会計に関連する注記事項

①　重要な会計方針（退職給付引当金の計上基準）

＜文　例＞

退職給付引当金は従業員の退職給付に備えるため、以下のとおりに計上している。
イ）退職給付引当金は、期末の退職給付債務および年金資産の見込額に基づき計上している。
ロ）会計基準変更時差異は、定額法（期間15年）により費用処理している。
ハ）数理計算上の差異は、発生年度の翌年度から定額法（期間10年）により費用処理している。

小規模企業等における簡便法

① 小規模企業等における簡便法

従業員数が比較的少ない小規模な企業（原則として従業員数が300人未満の企業）などにあっては、合理的に数理計算上の見積を行うことが困難である場合や退職給付の重要性が乏しい場合が考えられる。

このような場合には、期末の退職給付の要支給額を用いた見積計算を行う等簡便な方法を用いて退職給付費用を計算することも認められている。

簡便法には様々な計算方法があるが、ここでは退職一時金制度に関する簡便法として「退職給付に係る期末自己都合要支給額を退職給付債務とする方法」について学習していく。

② 退職一時金制度のみ採用している場合（退職給付に係る期末自己都合要支給額を退職給付債務とする方法）

この方法を採用した場合、貸借対照表に計上される退職給付引当金の額及び損益計算書に計上される退職給付費用の額は、次のように計算される。

1）

退職給付引当金＝当期末自己都合要支給額

2）

退職給付費用＝当期末自己都合要支給額－（前期末自己都合要支給額－退職給付引当金取崩額）

※　自己都合要支給額

自己都合要支給額とは、企業が将来に一時金を給付する場合、その計算日現在において、仮に従業員全員が自己都合で退職したときに給付をすべき金額をいう。

③ 退職一時金制度及び企業年金制度を採用している場合

この方法を採用した場合、貸借対照表に計上される退職給付引当金の額及び損益計算書に計上される退職給付費用の額は、次のように計算される。

1）

退職給付引当金＝（当期末自己都合要支給額＋年金財政計算上の数理債務）－期末年金資産公正評価額

2）

退職給付費用＝{(当期末自己都合要支給額＋直近の年金財政計算上の数理債務）－期末年金資産公正評価額} －（前期末退職給付引当金－年金掛金拠出額－退職一時金支給額）

貸借対照表に計上される退職給付引当金の額を図示すると次のようになる。

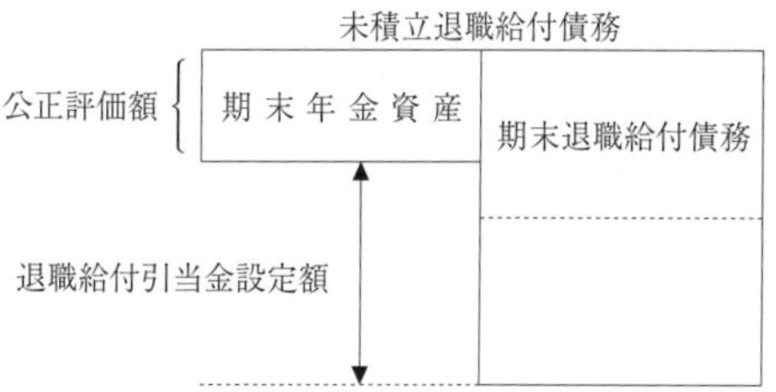

※　数理債務

数理債務とは、年金財政計算上、その計算日現在において、将来の給付を賄うために用意しておくべき金額をいい、将来発生すると見込まれる給付額の現在価値から、将来見込まれる掛金収入額を控除して算定される。

④　小規模企業等における簡便法の会計処理

基本的に原則法の会計処理と同じであるが、退職給付費用については、期末において退職給付引当金の差額計算により簡便的に算定することとなる。

したがって、数理計算を行わないことから数理計算上の差異は生じず、過去勤務費用についても、期末退職給付債務に吸収されることとなるため、考慮する必要はない。

1）期首

仕　訳　不　要

2）年金掛金拠出時

退職給付引当金　××／現金及び預金　××

3）退職年金支給時

仕　訳　不　要

4）退職一時金支給時

退職給付引当金　××／現金及び預金　××

5）決算時

退職給付費用　××／退職給付引当金　××

攻略のコツ

① 退職給付会計に特有の用語（例：勤務費用、利息費用、年金資産、数理計算上の差異…）の意味を理解する。
② 退職給付費用の額を求められるようにする。
③ 期中において年金掛金の支払いが行われた場合の処理を理解する。

まとめ

① 退職給付費用＝勤務費用＋利息費用－期待運用収益±数理計算上の差異の費用処理額±過去勤務費用の費用処理額±会計基準変更時差異の費用処理額
② 退職給付引当金＝期末退職給付債務±未認識数理計算上の差異±未認識過去勤務費用±未認識会計基準変更時差異－期末年金資産

設例

退職給付費用の金額を計算しなさい。
(1) 期首の退職給付債務　10,000千円
(2) 期首の年金資産の公正評価額（時価）　5,500千円
(3) 当期の勤務費用　600千円
(4) 当期の利息費用は、期首の退職給付債務に割引率を乗じて計算する。
なお、割引率は3％である。
(5) 当期の期待運用収益は、期首の年金資産に長期期待運用収益率を乗じて計算する。
長期期待運用収益率は、4％である。

解説

退職給付費用の金額：680千円

退職給付会計用のP/L

勤務費用 600千円	期待運用収益 220千円＊2
利息費用 300千円＊1	退職給付費用 680千円

＊1　10,000千円×3％＝300千円
＊2　5,500千円×4％＝220千円

設例

必要な仕訳を示しなさい。

当社は従来より、確定給付型の企業年金制度を採用しており、当期より退職給付に係る会計基準に準拠した方法に変更する。

(1) 期首退職給与引当金　114,000千円
(2) 期首年金資産　90,000千円
(3) 期首退職給付債務　225,000千円
(4) 年金掛金の支払額　22,800千円（未処理）
(5) 期末退職給付債務　255,450千円
(6) 期末年金資産　114,600千円
(7) 勤務費用　22,800千円
(8) 利息費用については、期首退職給付債務に割引率を乗じて計算すること。
　割引率　3.4％
(9) 期待運用収益は、期首年金資産に長期期待運用収益率３％を乗じて計算する。
(10) 実際期待運用収益　1,800千円
　なお、数理計算上の差異は、期待運用収益と実際運用収益の差額のみから発生するものとする。
(11) 会計基準変更時差異は、期首の退職給付債務から期首の年金資産および期首の退職給与引当金を控除して計算すること。
(12) 数理計算上の差異および会計基準変更時差異は、当期より10年間で定額法により費用処理すること。

解　説　　　　　　　　　　　　　　（仕訳の単位：千円）

退職給与引当金の振替え

退職給与引当金 114,000／退職給付引当金 114,000

年金掛金の支払額

退職給付引当金 22,800／現金及び預金 22,800

退職給付費用の計上

退職給付費用 29,940／退職給付引当金 29,940

退職給付会計用のP/L

勤務費用 22,800千円	期待運用収益 2,700千円 ＊4
利息費用＊1 7,650千円	退職給付費用 29,940千円 P/L
数理計算上の差異の費用処理額＊2 90千円	
会計基準変更時差異の費用処理額＊3 2,100千円	

退職給付会計用のB/S

未認識数理計算上の差異 ＊2 810千円	退職給付債務 255,450千円
未認識会計基準変更時差異 ＊3 18,900千円	
退職給付引当金 121,140千円 B/S	
年金資産 114,600千円	

＊1　225,000千円× 3.4％＝7,650千円

＊2　90,000千円× 3％－1,800千円

＝900千円（数理計算上の差異）

900千円×$\frac{1年}{10年}$＝90千円（数理計算上の差異の費用処理額）

900千円－90千円＝810千円（未認識数理計算上の差異）

＊3　225,000千円－90,000千円－114,000千円

＝21,000千円（会計基準変更時差異）

21,000千円×$\frac{1年}{10年}$

＝2,100千円（会計基準変更時差異の費用処理額）

21,000千円－2,100千円

＝18,900千円（未認識会計基準変更時差異）

＊4　90,000千円× 3％＝2,700千円（期待運用収益）

設　例

> 次の資料に基づき、当期末の貸借対照表に計上される退職給付引当金の額及び損益計算書に計上される退職給付費用の額を求めなさい。
> 〔資 料〕
> 1　前期末自己都合要支給額　618,150千円
> 2　当期末自己都合要支給額　637,500千円
> 3　当期における自己都合要支給額（退職給付引当金取崩額）22,500千円

解　説

(1)　退職給付引当金　637,500千円（当期末自己都合要支給額）
(2)　退職給付費用　41,850千円＊

＊　637,500千円（当期末要支給額）－（618,150千円（前期末要支給額）－22,500千円（取崩額））＝41,850千円

設例

必要な仕訳を示しなさい。
(1) 期首における各金額
① 自己都合支給額：22,500千円、年金財政計算上の数理債務：15,000千円
② 年金資産：12,000千円
③ 退職給付引当金前期繰越額：25,500千円
(2) 年金掛金拠出額：1,500千円
(3) 退職年金による支給額：750千円
(4) 退職一時金による支給額：3,000千円
(5) 期末における各金額
① 自己都合要支給額：24,750千円、年金財政計算上の数理債務：16,500千円
② 年金資産：13,500千円

解説 (仕訳の単位：千円)

(1) 期首
仕訳不要

(2) 年金掛金拠出時
退職給付引当金 1,500／現金及び預金 1,500

(3) 退職年金支給時
仕訳不要

(4) 退職一時金支給時
退職給付引当金 3,000／現金及び預金 3,000

(5) 決算時
退職給付費用 *6,750／退職給付引当金 6,750

* (24,750千円＋16,500千円－13,500千円)－(25,500千円－1,500千円－3,000千円)＝6,750千円

15　純資産会計

重要度A
★★★

●学習のポイント●

①　新株発行の一連の流れを理解する
②　新株発行時における資本金、資本準備金の額を正確に計算できるようにする
③　剰余金の配当に伴う準備金の積立に関する処理を把握する
④　株主資本の計数の変動に関する処理を覚える
⑤　自己株式の取得・処分・消却の処理と表示を理解する
⑥　新株予約権および新株予約権付社債に関する処理と表示を理解する
⑦　株主資本等変動計算書のフォームおよび記載方法を覚える
⑧　純資産に関連する注記事項

新株発行に伴う会計処理と表示

①　払込期日を定めた場合

1）株式会社は株式を発行するにあたり、株主を募集し、その募集に対する申込として払込まれた金額を新株式申込証拠金として処理する。

2）払込期日に資本金（原則）に振り替える。

3）新株発行に伴うB/S表示

払込期日までの間に決算日が到来した場合のB/S表示は次のようになる。

《決算日》	《B/S表示科目》	《B/S表示区分》
①　申込期間中…	新株式申込証拠金	…負債の部・流動負債
②　申込期日の翌日から払込期日の前日まで…	新株式申込証拠金	…純資産の部・資本金の次
③　払込期日…	資本金	…純資産の部・資本金

②　払込期間を定めた場合

1）払込期間を定めた場合に、払込期間内に払込みがされたときは、その払込みが行われた日に資本金（原則）として処理する。

2）新株発行に伴うB/S表示

払込期間中	……資本金……	純資産の部・資本金
払込が行われた日		

資本金および資本準備金の額

1）原則→払込金額の全額を資本金とする。

2）例外→払込金額の$\frac{1}{2}$の額を資本金の最低限度額とし、残余部分を資本準備金（株式払込剰余金）とする。

剰余金の配当に伴う準備金の積立

①　会計処理

会社法では、剰余金（その他資本剰余金およびその他利益剰余金）の配当をする場合には、その剰余金の配当により減少する剰余金の額に10分の１を乗じた額を、準備金の額が資本金の４分の１に達するまで積み立てるべきことを規定している。

1）その他資本剰余金から配当した場合

借方		貸方	
その他資本剰余金	××	現金及び預金	××
		資本準備金	××

※　その他資本剰余金から配当した場合には、資本準備金の積立を行う。

2）その他利益剰余金から配当した場合

借方		貸方	
繰越利益剰余金 <その他利益剰余金>	××	現金及び預金	××
		利益準備金	××

※　その他利益剰余金から配当した場合には、利益準備金の積立を行う。

②　準備金の積立額

1）準備金の要積立額

剰余金の配当により減少する剰余金の額の$\frac{1}{10}$

2）準備金の累積限度額

準備金の積立は準備金が資本金の$\frac{1}{4}$に達するまで

③　その他資本剰余金とその他利益剰余金の両方から配当した場合の準備金積立額は以下の算式に基づく額を資本準備金、利益準備金の積立額とする。

1）剰余金の配当をする日における準備金の額 ≧ 基準資本金額 ──▶ ゼロ

2）剰余金の配当をする日における準備金の額 ＜ 基準資本金額

──▶ 次のイまたはロのいずれか少ない金額 × 資本剰余金または利益剰余金配当割合

イ）剰余金の配当をする日における準備金計上限度額（＝基準資本金額－準備金の額）

ロ）剰余金の配当 × $\frac{1}{10}$

※１　基準資本金額＝資本金の額の４分の１

※２　資本剰余金または利益剰余金配当割合

$$= \frac{\text{剰余金の配当があった場合にその他資本剰余金またはその他利益剰余金から減ずべき額}}{\text{剰余金の配当額}}$$

株主資本の計数の変動

①　株主資本の計数の変動

会社法においては、株主資本の計数の変動について、いつでも株主総会の決議（一定の要件を満たす場合には、取締役会の決議）で行うことができるとされている（下表の○印の計数の変動が可能）。

原則として、払込資本は払込資本内で、留保利益は留保利益内でのすべての組み合わせの計数変動が認められており、いわゆる資本と利益は厳密に区別されている。

ただし、利益準備金またはその他利益剰余金を減少させて、資本金の額を増加させる計数変動は認められる。

増加項目＼減少項目		払込資本			留保利益	
		資本金	資本準備金	その他資本剰余金	利益準備金	その他利益剰余金
払込資本	資本金	＼	○	○	——	——
	資本準備金	○	＼	○	——	——
	その他資本剰余金	○	○	＼	——	——
留保利益	利益準備金	○	——	——	＼	○
	その他利益剰余金	○	——	——	○	○

② 払込資本内の計数の変動

増加項目＼減少項目		払込資本		
		資本金	資本準備金	その他資本剰余金
払込資本	資本金	＼	(3)	(4)
	資本準備金	(1)	＼	(5)
	その他資本剰余金	(2)	(6)	＼

(1) 資本準備金を減少させて、資本金を増加させた場合

株式会社は、株主総会の決議により資本準備金の額を減少して、資本金の額を増加させることができる。なお、この場合、事前に定めた効力発生日における資本準備金の額を限度としている。

資本準備金 ××／資本金 ××

(2) その他資本剰余金を減少させて、資本金を増加させた場合

株式会社は、株主総会の決議によりその他資本剰余金の額を減少して、資本金の額を増加させることができる。なお、この場合、事前に定めた効力発生日におけるその他資本剰余金の額を限度としている。

その他資本剰余金 ××／資本金 ××

(3) 資本金を減少させて、資本準備金を増加させた場合

株式会社は、株主総会の決議により資本金の額を減少して、資本準備金の額を増加させることができる。なお、この場合、事前に定めた効力発生日における資本金の額を限度としている。

資　本　金　××／資本準備金　××

(4) 資本金を減少させて、その他資本剰余金を増加させた場合

株式会社は、株主総会の決議により資本金の額を減少して、その他資本剰余金の額を増加させることができる。なお、この場合、事前に定めた効力発生日における資本金の額を限度としている。

資　本　金　××／その他資本剰余金　××

(5) 資本準備金を減少させて、その他資本剰余金を増加させた場合

株式会社は、株主総会の決議により資本準備金の額を減少して、その他資本剰余金の額を増加させることができる。なお、この場合、事前に定めた効力発生日における資本準備金の額を限度としている。

資本準備金　××／その他資本剰余金　××

(6) その他資本剰余金を減少させて、資本準備金を増加させた場合

株式会社は、株主総会の決議によりその他資本剰余金の額を減少して、資本準備金の額を増加させることができる。なお、この場合、事前に定めた効力発生日におけるその他資本剰余金の額を限度としている。

その他資本剰余金　××／資本準備金　××

③ 留保利益内の計数の変動

増加項目＼減少項目		留保利益	
		利益準備金	その他利益剰余金
留保利益	利益準備金	＼	(1)
	その他利益剰余金	(2)	(3)

(1) 利益準備金を減少させて、その他利益剰余金を増加させた場合

株式会社は、株主総会の決議により利益準備金の額を減少して、その他利益剰余金の額を増加させることができる。なお、この場合、事前に定めた効力発生日における利益準備金の額を限度としている。

利益準備金　××／繰越利益剰余金　××

(2)　その他利益剰余金を減少させて、利益準備金を増加させた場合

株式会社は、株主総会の決議によりその他利益剰余金の額を減少して、利益準備金の額を増加させることができる。なお、この場合、事前に定めた効力発生日におけるその他利益剰余金の額を限度としている。

繰越利益剰余金　××／利益準備金　××

(3)　その他利益剰余金内の項目の振替え等（剰余金の処分）

株式会社は、株主総会の決議によって、損失の処理、任意積立金の積立その他の剰余金の処分（資本金、準備金の変動を伴うものおよび剰余金の配当その他株式会社の財産を処分するものを除く）をすることができる。基本的には、任意積立金の積立、取崩、その他利益剰余金がマイナスである場合にその他資本剰余金で補填すること（いわゆる損失の処理）などが該当する。

イ）任意積立金の積立、取崩

任意積立金とは、株主総会で決議された利益の社内留保額である。任意積立金は、利益準備金と同じく繰越利益剰余金により積み立てられ、また、取り崩すこともできるが、利益準備金の積立が会社法の規定により強制されるのに対し、任意積立金の積立は基本的に会社の自由意志による点が異なる。

(a)　任意積立金の積立

繰越利益剰余金　××／研究開発積立金　××

(b)　任意積立金の取崩

研究開発積立金　××／繰越利益剰余金　××

ロ）その他利益剰余金がマイナスの場合のその他資本剰余金による補填（いわゆる損失の処理）

その他資本剰余金　××／繰越利益剰余金＊　××

＊　繰越利益剰余金がマイナス残の場合

なお、繰越利益剰余金はゼロを上限とし、プラス残高にすることはできない。

④ 利益の資本組入れ

減少項目＼増加項目		払込資本 資本金
留保利益	利益準備金	(1)
	その他利益剰余金	(2)

(1) 利益準備金を減少させて、資本金を増加させた場合

株式会社は、株主総会の決議により利益準備金の額を減少して、資本金の額を増加させることができる。

なお、この場合、事前に定めた効力発生日における利益準備金の額を限度としている。

利益準備金　××／資本金　××

(2) その他利益剰余金を減少させて、資本金を増加させた場合

株式会社は、株主総会の決議によりその他利益剰余金の額を減少して、資本金の額を増加させることができる。なお、この場合、事前に定めた効力発生日におけるその他利益剰余金の額を限度としている。

繰越利益剰余金　××／資本金　××

自己株式の処理・表示

① 自己株式の取得手続

株式会社が自己の株式を取得できる場合については、会社法において列挙されている。それぞれの場合に応じて、株式会社が取るべき手続は異なるが、ここでは、市場取引等による株式の取得を前提に考察していく。

株式会社は、市場において行う取引または公開買付により自己の株式を取得することができる。この場合には、取得する株式の数、対価の内容およびその総額、株式を取得することができる期間（1年を超えることはできない）について定めれば足り、これ以上の手続は、特に法定されていない。

この取得事項は、原則として株主総会の決議によって定めるが、定款に定めがある場合には、取締役会の決議で定めることも可能である。

② 自己株式の取得時の処理

自己株式　××／現金及び預金　××

自己株式を取得した場合には、取得原価をもって、純資産の部の株主資本から控除する。なお、自己株式の取得に係る付随費用（取得のための手数料等）については、自己株式の取得原価に算入せずに、「支払手数料」として損益計算書の営業外費用に表示する。

③ 自己株式の表示

期末に保有する自己株式は取得原価により評価し、貸借対照表・純資産の部の株主資本の末尾に自己株式として一括して控除する形式で表示する。

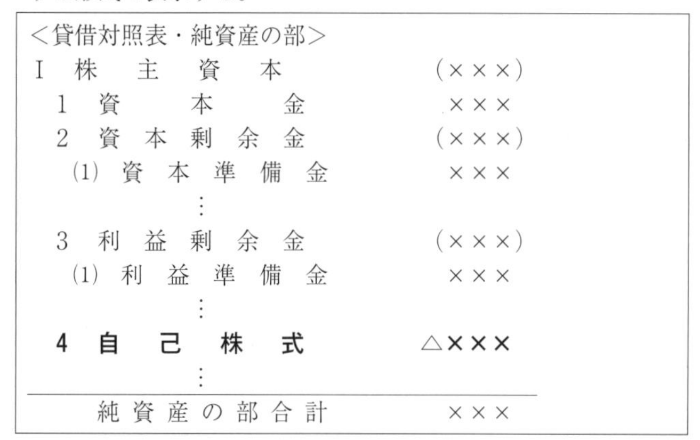

＜貸借対照表・純資産の部＞

Ⅰ 株　主　資　本	(×××)
1 資　本　金	×××
2 資本剰余金	(×××)
(1) 資本準備金	×××
⋮	
3 利益剰余金	(×××)
(1) 利益準備金	×××
⋮	
4 自　己　株　式	**△×××**
⋮	
純資産の部合計	×××

④ 自己株式の処分

自己株式処分差益はその他資本剰余金に計上し、自己株式処分差損はその他資本剰余金から減額して表示する。

1）自己株式の取得原価＜自己株式の処分価額

借方		貸方	
現金及び預金	××	自己株式	××
		その他資本剰余金	××
		＜自己株式処分差益＞	

2）自己株式の取得原価＞自己株式の処分価額

借方		貸方	
現金及び預金	××	自己株式	××
その他資本剰余金	××		
＜自己株式処分差損＞			

※　手数料など自己株式の処分に係る付随費用は、原則支出した事業年度の費用として処理するため、株式交付費として営業外費用に表示する。また、例外として資産計上することが認められているため、この場合は繰延資産に株式交付費として表示する。なお、当該株式交付費は株式交付のときから3

年以内のその効果の及ぶ期間にわたって、定額法により償却することになり、当該償却費は株式交付費償却として営業外費用に表示する。

⑤　**自己株式の消却**

自己株式を消却した場合には、消却手続が完了したときに、消却の対象となった自己株式の帳簿価額をその他資本剰余金から減額する。

その他資本剰余金　××／自　己　株　式　××

※　自己株式の消却に際して減少する自己株式の帳簿価額と、自己株式の処分に際して減少する自己株式の帳簿価額との性質には差異がないことに着目して、双方ともその他資本剰余金から減少させることを原則としている。

⑥　**その他資本剰余金の残高が負の値になった場合の取扱い**

自己株式の処分および自己株式の消却の会計処理の結果、その他資本剰余金の残高が負の値となった場合には、会計期間末において、その他資本剰余金をゼロとし、当該負の値をその他利益剰余金（繰越利益剰余金）から減額する。

繰越利益剰余金　××／その他資本剰余金　××

新株予約権

①　**発行形態**

新株予約権は一般に単独で発行することが認められ、また、社債に付して発行（新株予約権付社債）することも認められる。なお、新株予約権のうち、特に企業がその従業員等に、報酬として付与するストック・オプションも認められる。

②　**交付株式数の算定**

交付株式数＝新株予約権の個数×新株予約権１個当たりの交付株式数

③　**株式の交付に係る払込金額**

新株の発行に伴う払込金額または自己株式の処分に伴う払込金額
＝新株予約権として計上した額のうち、権利行使に対応した部分
　＋権利行使に伴う払込金額

④　**新株予約権を単独発行した場合の処理**

1）新株予約権発行時

現金及び預金　××／新株予約権＊　××
　　　　　　　　　　<純資産の部>

＊　新株予約権は、その発行に伴う払込金額を、純資産の部に「新株予約権」として計上する。

※　新株予約権の発行に係る費用についても、資金調達などの財務活動に係るものについては、社債発行費と同様に、原則支出した事業年度の費用として処理するため、新株予約権発行費などの科目で営業外費用に表示する。

また、例外として資産計上することが認められているため、この場合は繰延資産に新株予約権発行費などの科目で表示する。なお、当該新株予約権発行費は新株予約権の発行のときから３年以内のその効果の及ぶ期間にわたって、定額法により償却することになるため、当該償却費は新株予約権発行費償却などの科目で営業外費用に表示する。

2）権利行使時

イ）新株を発行する場合

借方	金額	貸方	金額
現金及び預金＊1	××	資本金＊3	××
新株予約権＊2	××	資本準備金＊3	××

＊1　権利行使に伴う払込金額

＊2　新株予約権として計上した額のうち、当該権利行使に対応する部分

＊3　原則として払込金額の全額を資本金とするが、例外として払込金額の$\frac{1}{2}$の額を資本金の最低限度額とし、残余部分を資本準備金とすることもできる。

ロ）自己株式を処分する場合

借方	金額	貸方	金額
現金及び預金＊1	××	自己株式＊3	××
新株予約権＊2	××	その他資本剰余金＊4	××

＊1　権利行使に伴う払込金額

＊2　新株予約権として計上した額のうち、当該権利行使に対応する部分

＊3　自己株式の帳簿価額

＊4　新株予約権の行使に伴う払込金額および新株予約権の発行に伴う払込金額のうち当該権利行使に対応する部分の合計額と自己株式の帳簿価額との差額が自己株式処分差額であり、その他資本剰余金として計上する。

3）権利行使期間満了時

借方	金額	貸方	金額
新株予約権	××	新株予約権戻入益 <特別利益>	××

※　新株予約権が行使されずに権利行使期間が満了し、当該新株予約権が失効したときは、当該失効に対応する額を失効が確定した会計期間の利益（原則として特別利益）として処理

する。

⑤　ストック・オプションの処理

1）ストック・オプション付与時

仕訳なし

2）権利確定日までの各事業年度

借方		貸方	
株式報酬費用＊ ＜販売費及び一般管理費＞	××	新株予約権 ＜純資産の部＞	××

＊　ストック・オプションの公正な評価額（※(a)）のうち、対象勤務期間を基礎とする方法その他の合理的な方法に基づき当期に発生したと認められる額（※(b)）

※(a)　ストック・オプションの公正な評価額

＝公正な評価単価×ストック・オプション数

＜公正な評価単価＞

受験上、問題に与えられる。

＜ストック・オプション数＞

付与されたストック・オプション数－権利不確定による失効見積数

※(b)　費用計上額

ストック・オプションの公正な評価額を対象勤務期間で月数按分した金額

3）権利行使時

イ）新株発行の場合

借方		貸方	
現金及び預金＊1	××	資本金＊3	××
新株予約権＊2	××	資本準備金＊3	××

＊1　権利行使に伴う払込金額

＊2　新株予約権として計上した額のうち、当該権利行使に対応する部分

＊3　原則として払込金額の全額を資本金とするが、例外として払込金額の$\frac{1}{2}$の額を資本金の最低限度額とし、残余部分を資本準備金とすることもできる。

ロ）自己株式を処分する場合

借方		貸方	
現金及び預金＊1	××	自己株式＊3	××
新株予約権＊2	××	その他資本剰余金＊4	××

＊1　権利行使に伴う払込金額

＊2　新株予約権として計上した額のうち、当該権利行使に対応する部分

＊3　自己株式の帳簿価額

＊4　新株予約権の行使に伴う払込金額および新株予約権の発行に伴う払込金額のうち当該権利行使に対応する部分の合計額と自己株式の帳簿価額との差額が自己株式処分差額であり、その他資本剰余金として計上する。

4）権利行使期間満了時

借方	金額	貸方	金額
新株予約権	××	新株予約権戻入益 ＜特別利益＞	××

※　新株予約権が行使されずに権利行使期間が満了し、当該新株予約権が失効したときは、当該失効に対応する額を失効が確定した会計期間の利益（原則として特別利益）として処理する。

⑥　新株予約権の表示

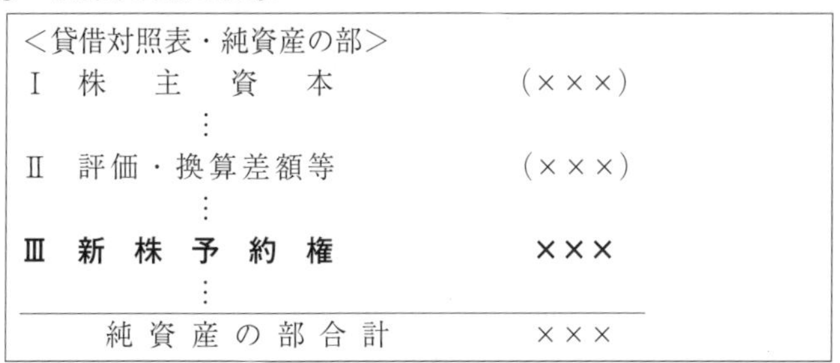

＜貸借対照表・純資産の部＞

Ⅰ　株主資本	(×××)
⋮	
Ⅱ　評価・換算差額等	(×××)
⋮	
Ⅲ　新株予約権	**×××**
⋮	
純資産の部合計	×××

新株予約権付社債

①　転換社債型新株予約権付社債の一括法による処理

1）発行時の処理

借方	金額	貸方	金額
現金及び預金	××	社債＊ ＜固定負債＞	××

＊　社債の額面金額をもって計上する。なお、社債は1年基準を適用し、通常は固定負債に計上する。

2）権利行使時の処理

イ）新株発行の場合

借方	金額	貸方	金額
社債＊1	××	資本金＊2	××
		資本準備金＊2	××

＊1　新株予約権の行使分に対応する社債の額面金額

＊2　原則として払込金額の全額を資本金とするが、例外として払込金額の$\frac{1}{2}$の額を資本金の最低限度額とし、残余部分を資本準備金とすることもできる。

ロ）自己株式を処分する場合

借方		貸方	
社　　　　債＊1	××	自　己　株　式＊2	××
		その他資本剰余金＊3	××

＊1　新株予約権の行使分に対応する社債の額面金額

＊2　自己株式の帳簿価額

＊3　新株予約権の行使部分に対応する社債の額面金額から処分する自己株式の帳簿価額を控除した額が自己株式処分差額となる。

株主資本等変動計算書

①　株主資本等変動計算書のフォーム

1）純資産の各項目を横に並べる様式

（単位：千円）

	株主資本										評価・換算差額等				
		資本剰余金			利益剰余金										
	資本金	資本準備金	その他資本剰余金	資本剰余金合計	利益準備金	その他利益剰余金 圧縮積立金	その他利益剰余金 繰越利益剰余金	利益剰余金合計	自己株式	株主資本合計	その他有価証券評価差額金	繰延ヘッジ損益	評価・換算差額等合計	新株予約権	純資産合計
当期首残高	××	××	××	××	××	××	××	××	△××	××	××	××	××	××	××
当期変動額															
新株の発行	××	××		××						××					××
剰余金の配当					××		△××	△××		△××					△××
当期純利益							××	××		××					××
自己株式の処分									××	××					××
株主資本以外の項目の当期変動額（純額）											××	××	××	××	××
当期変動額合計	××	××	—	××	××	—	××	××	××	××	××	××	××	××	××
当期末残高	××	××	××	××	××	××	××	××	△××	××	××	××	××	××	××

2）純資産の各項目を縦に並べる様式

株主資本等変動計算書

（単位：千円）

株主資本	
資本金	
当期首残高	××
当期変動額	
新株の発行	××
当期変動額合計	××
当期末残高	××
資本剰余金	
資本準備金	
当期首残高	××
当期変動額	
新株の発行	××
当期変動額合計	××
当期末残高	××
その他資本剰余金	
当期首残高	××
当期変動額	
……………	××
当期変動額合計	××
当期末残高	××
資本剰余金合計	
当期首残高	××
当期変動額	
新株の発行	××
……………	××
当期変動額合計	××
当期末残高	××
利益剰余金	
利益準備金	
当期首残高	××
当期変動額	
剰余金の配当	××
……………	××
当期変動額合計	××
当期末残高	××
その他利益剰余金	
圧縮積立金	
当期首残高	××
当期変動額	
……………	××
当期変動額合計	××
当期末残高	××
繰越利益剰余金	
当期首残高	××
当期変動額	
剰余金の配当	△××
当期純利益	××
……………	××
当期変動額合計	××
当期末残高	××
利益剰余金合計	
当期首残高	××
当期変動額	

剰余金の配当	△××
当期純利益	××
……………	××
当期変動額合計	××
当期末残高	××
自己株式	
当期首残高	△××
当期変動額	
自己株式の処分	××
……………	××
当期変動額合計	××
当期末残高	△××
株主資本合計	
当期首残高	××
当期変動額	
新株の発行	××
剰余金の配当	△××
当期純利益	××
自己株式の処分	××
……………	××
当期変動額合計	××
当期末残高	××
評価・換算差額等	
その他有価証券評価差額金	
当期首残高	××
当期変動額	
株主資本以外の項目の当期変動額（純額）	××
当期変動額合計	××
当期末残高	××
繰延ヘッジ損益	
当期首残高	××
当期変動額	
株主資本以外の項目の当期変動額（純額）	××
当期変動額合計	××
当期末残高	××
評価・換算差額等合計	
当期首残高	××
当期変動額	
株主資本以外の項目の当期変動額（純額）	××
当期変動額合計	××
当期末残高	××
新株予約権	
当期首残高	××
当期変動額	
株主資本以外の項目の当期変動額（純額）	××
当期変動額合計	××
当期末残高	××
純資産合計	
当期首残高	××
当期変動額	
新株の発行	××
剰余金の配当	△××
当期純利益	××
自己株式の処分	××
……………	××
株主資本以外の項目の当期変動額（純額）	××
当期変動額合計	××
当期末残高	××

② 記載方法

1）株主資本等変動計算書の表示区分は、貸借対照表の純資産の部の表示区分に従う。

2）株主資本等変動計算書に表示される各項目の当期首残高および当期末残高は、当期首および当期末の純資産の部における各項目の残高と整合したものでなければならない。

3）株主資本である資本金、資本剰余金、利益剰余金および自己株式に係る項目は、それぞれ「当期首残高」、「当期変動額」および「当期末残高」を明らかにしなければならない。「当期変動額」については、各変動事由ごとに当期変動額および変動事由を明らかにしなければならない。

4）評価・換算差額等、新株予約権に係る項目は、それぞれ「当期首残高」、「当期変動額」および「当期末残高」について明らかにしなければならない。なお、「当期変動額」は純額を記載すれば足りる。

5）損益計算書の当期純利益（または当期純損失）は、利益剰余金およびその他利益剰余金またはその内訳科目である繰越利益剰余金の変動事由として表示する。

純資産に関連する注記事項

① 株主資本等変動計算書に関する注記

1）当該事業年度の末日における発行済株式の数

<文　例>

当該事業年度の末日における発行済株式の数　　普通株式600,000株

2）当該事業年度の末日における自己株式の数

<文　例>

当該事業年度の末日における自己株式の数　　普通株式800株

3）当該事業年度中に行った剰余金の配当に関する事項

<文　例>

当事業年度中に行った剰余金の配当に関する事項
配当の総額　　23,812千円

※　配当財産が金銭である場合には当該金銭の総額を記載する。

4）当該事業年度末日後に行う剰余金の配当に関する事項

＜文　例＞

当事業年度末日後に行う剰余金の配当に関する事項
配当の総額　　51,442千円

5）当該事業年度の末日における当該株式会社が発行している新株予約権の目的となる当該株式会社の株式の数

＜文　例＞

新株予約権の目的となる株式の数　　普通株式600株

※　当該事業年度の末日における新株予約権の目的となる株式の数は基本的に前事業年度の末日における株式数から当該事業年度中の新株予約権の権利行使による減少額を控除した金額である。

なお、権利行使期間の初日が到来していない新株予約権については、注記しない。

②　1株当たり情報に関する注記

1）1株当たり純資産額

＜文　例＞

1株当たり純資産額　　536円13銭

※　1株当たり純資産額は、普通株主に係る期末の純資産額を、期末普通株式の発行済株式数から自己株式数を控除した株式数で除して計算することとなる。

1株当たり純資産額は、普通株主に関する企業の財政状態を示すことを目的として開示されるものであるため、普通株主に関連しない金額は、1株当たり純資産額の算定上、期末の純資産額には含めないこととなる。

しかし、その算定にあたっては、非常に複雑な計算を行うこととなるため、受験上は、下記の算式に基づいて算定できればよい。

1株当たり純資産額

$$=\frac{\text{貸借対照表上の純資産の部の合計額}-\text{新株式申込証拠金}-\text{新株予約権}}{\text{期末発行済株式数}-\text{期末保有自己株式数（注）}}$$

（注）期末において自己株式を保有している場合には当該自己株式数を期末発行済株式数から控除して算定する。

計算上、円未満の端数が生じた場合には、円未満2位まで（円未満3位以下切捨て）求めるのが慣行である（例：「42.533…円」⇨「42円53銭」）。

2）1株当たりの当期純利益または当期純損失の額

＜文　例＞

1株当たり当期純利益　　48円56銭

※　1株当たりの当期純利益または当期純損失の額は、普通株主に関する一会計期間の成果を示し、投資者の的確な投資判断に資する情報を提供することを開示の目的としているため、普通株式に係る当期純利益の額を普通株式の期中平均株式数で除して算定することとなる。

$$\text{1株当たり当期純利益}=\frac{\text{普通株式に係る当期純利益}}{\text{普通株式の期中平均株式数}}=\frac{\text{損益計算書上の当期純利益}}{\text{普通株式の期中平均発行済株式数}-\text{普通株式の期中平均自己株式数}}$$

※　期中平均株式数は以下の算式を用いて算定する。

$$\text{期中平均株式数}=\text{期首発行済株式数}+\text{期中発行株式数}\times\frac{\text{発行日から決算日までの月数}}{\text{12カ月}}$$

計算上、円未満の端数が生じた場合には、円未満2位まで（円未満3位以下切捨て）求めるのが慣行である（例：「42.533…円」⇨「42円53銭」）。

攻略のコツ

①　新株発行に伴う処理では、いつの時点で資本金に振り替えられるのかを理解する。

②　準備金の積立については、配当原資がその他資本剰余金なのかその他利益剰余金なのかに注意を払うことが大切である。

③　株主資本の計数の変動は、払込資本内部または留保利益内部において変動が可能となる。

④　株主資本等変動計算書のフォーム、数値の記載方法を覚える。

まとめ

① 新株発行に伴う処理

新株式申込証拠金（流動負債）→新株式申込証拠金（純資産の部）→資本金（純資産の部）

② 資本金の額

1）原則→払込金額全額

2）例外→払込金額の$\frac{1}{2}$の額が資本金の最低限度額

③ 剰余金の配当に伴う準備金の積立額

1）積立額

剰余金の配当により減少する剰余金の額の$\frac{1}{10}$

2）準備金の累積限度額

準備金の積立は準備金が資本金の$\frac{1}{4}$に達するまで

3）積み立てる準備金

・配当原資がその他資本剰余金→資本準備金
・配当原資がその他利益剰余金→利益準備金

④ 株主資本の計数の変動

・払込資本は、払込資本内部で変動可能
・留保利益は、留保利益内部で変動可能
・資本と利益は厳密に区別されているが、利益準備金またはその他利益剰余金から資本金への変動は可能

⑤ 自己株式の処理

⑥ 新株予約権・新株予約権付社債の処理

⑦ 株主資本等変動計算書のフォーム・記載方法

⑧ 純資産に関連する注記事項

MEMO

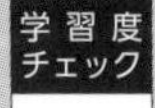

16　税　　金

重要度A
★★★

●学習のポイント●

① 通常の法人税・住民税の処理と表示
② 通常の事業税の処理と表示
③ 法人税・住民税・事業税の追徴税額の表示
④ 法人税・住民税・事業税の還付税額の表示
⑤ 消費税の仕組み、会計処理、注記事項
⑥ 法人税、住民税、事業税、消費税等以外の税金の処理と表示

通常の法人税・住民税の処理と表示

① 法人税、住民税は、各会計期間の利益に対して課されるもの。
② したがって当期の負担に属する税額が確定するのは当期末となる。
③ このため、当期末の時点でみると、当期の負担に属する税額のうち、中間納付額（予定納付額）については納付済みであるのに対して、確定申告により納付すべき額については未納となる。

法人税、住民税及び事業税 <P/L税引前当期純利益の次>	**当期の負担に属する法人税・住民税の総額**	中間納付額（予定納付額）	期中納付
		利子・配当に係る源泉税	
		確定申告により納付すべき金額	期末未納 未払法人税等 <B/S流動負債>

事業税の処理と表示

① 所得基準（所得割）に係る事業税

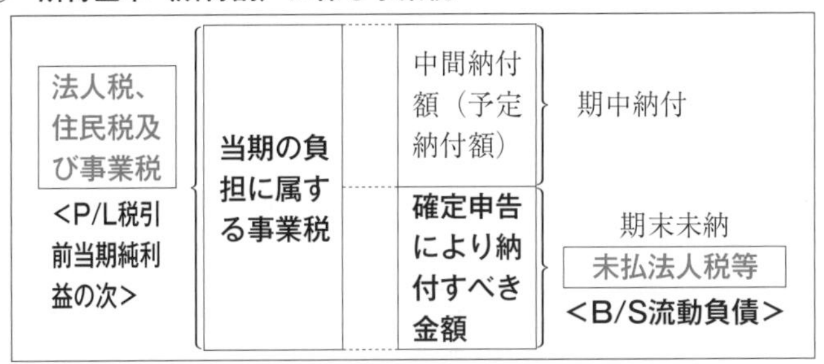

② 外形基準（資本割および付加価値割）に係る事業税

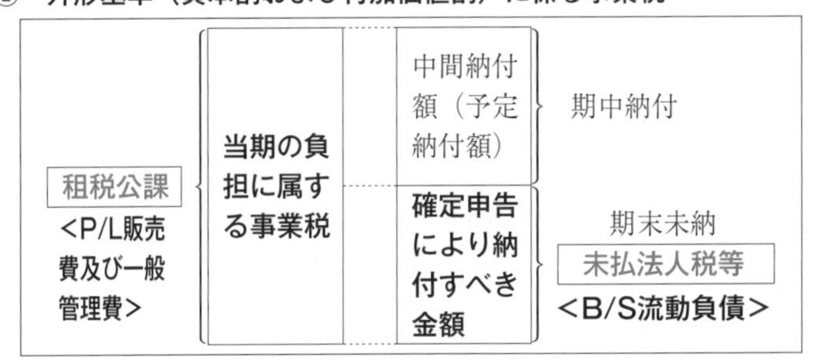

法人税等の追徴税額（過去の誤謬に該当しないもの）

① 法人税等追徴税額として、P/Lの法人税、住民税及び事業税の次に表示。

② この追徴税額が期末現在未納であるときは、未払法人税等としてB/Sの流動負債に表示。

法人税等の還付税額（過去の誤謬に該当しないもの）

① 法人税等還付税額としてP/Lの法人税、住民税及び事業税の次に表示する。

② この還付税額については、還付通知書を受け取っているときは、現金及び預金としてB/Sの流動資産に表示する。

消費税等の会計処理方法

① **税抜方式→**支払った消費税を仮払消費税等で、預かった消費税を仮受消費税等で処理する方法

② **具体的な会計処理**（仕訳の単位：千円）

	税抜方式			
売上時	現金及び預金	33,000	売上高	30,000
			仮受消費税等	3,000
仕入時	仕入高	12,000	現金及び預金	13,200
	仮払消費税等	1,200		
経費支払時	販売費及び一般管理費	10,000	現金及び預金	11,000
	仮払消費税等	1,000		
固定資産購入時	器具備品	6,000	現金及び預金	6,600
	仮払消費税等	600		
計算期間末納付税がある場合	仮受消費税等	3,000	仮払消費税等	2,800
			未払消費税等	200
還付税がある場合	仮受消費税等	××	仮払消費税等	××
	未収消費税等	××		

③ **注記事項→重要な会計方針**

＜文　例＞

消費税等の会計処理は、税抜方式によっている。

その他の税金

① 上記で取り上げた項目以外の税金については、その大半が費用性をもつものであるため、租税公課としてP/L販売費及び一般管理費に表示。

② これらについて期末未納額がある場合→未払金としてB/S流動負債に表示。

③ 固定資産の取得に際して支払う諸税金→当該固定資産の取得に係る付随費用として取得原価に含める。

攻略のコツ

修正申告や更正に伴って追徴税額や還付税額が発生した場合、当期負担税額と区別して表示する点を注意する。

まとめ

① 通常の法人税・住民税

1）当期の負担に属する法人税・住民税の総額→法人税、住民税及び事業税

2）確定申告により納付すべき金額→未払法人税等

3）利子・配当に係る源泉税→法人税、住民税及び事業税の一部前払

② 事業税

1）所得基準に係る事業税（当期負担分）→法人税・住民税及び事業税

2）外形基準に係る事業税（当期負担分）→租税公課

③ 消費税等の会計処理方法

税抜方式

設例

(1) 当期中に法人税・住民税・事業税の中間納付5,000千円（外形基準に係る事業税300千円を含む）をした。
(2) 当期中に銀行預金に係る利息800千円（200千円の源泉税引後）を受け取った。
(3) 当期の負担に属する法人税・住民税・事業税の総額は15,000千円（外形基準に係る事業税900千円を含む）であり、未納分につき未払計上する。
(4) 翌期に入り確定申告とともに未納分を納付した。

解説

（仕訳の単位：千円）

	借方	金額	貸方	金額
(1)	法人税、住民税及び事業税	4,700	現金及び預金	5,000
	租税公課	300		
(2)	現金及び預金	800	受取利息	1,000
	法人税、住民税及び事業税	200		
(3)	法人税、住民税及び事業税	9,200	未払法人税等＊1	9,800
	租税公課＊2	600		

＊1　15,000千円－（5,000千円＋200千円）＝9,800千円
＊2　900千円－300千円＝600千円

	借方	金額	貸方	金額
(4)	未払法人税等	9,800	現金及び預金	9,800

MEMO

学習度チェック

17　税効果会計

重要度A ★★★

●学習のポイント●

① 税効果会計を適用する場合の適用手順を把握する
② 税効果会計を適用する際に、調整の対象となる一時差異の種類と金額の算定方法を理解する
③ 税効果会計に係る会計処理および表示をマスターする
④ 税効果会計に関する注記事項をマスターする

税効果会計の概要

① 意　義

税効果会計とは、企業会計上の収益・費用と税法上の収益（益金という）・費用（損金という）の認識時点の相違等により、企業会計上の資産・負債の額と税法上の資産・負債の額に相違がある場合において、利益に関連する金額をもとに課税する法人税などの税金（以下、「法人税等」という）の額を適切に期間配分することにより、法人税等を税引前当期純利益に対応させ、業績評価を適正に行えるようにするための手段である。

② 法人税法上の益金・損金と企業会計上の収益・費用

1）利益計算と所得計算

法人税法では、次のように所得を計算する。

益　金　－　損　金　＝　所　得

一方、企業会計では，次のように利益を計算する。

収　益　－　費　用　＝　利　益

2）収益・費用と益金・損金の違い

収益と益金、費用と損金の範囲は基本的には同じであるが、次のような違いがある。

イ）収益と益金

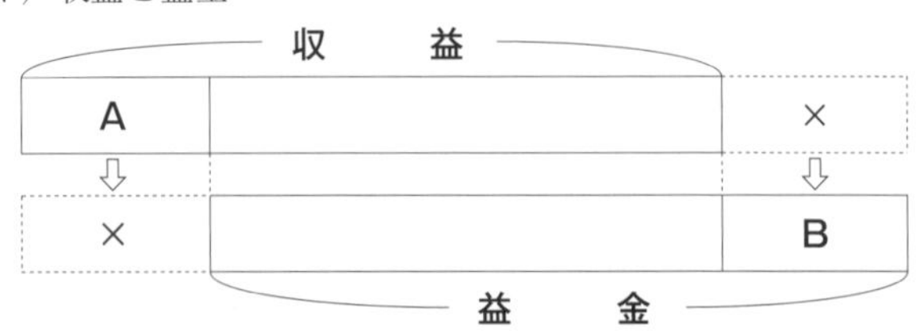

A：企業会計では収益であるが、法人税法上益金に該当しないもの
（例）受取配当等の益金不算入など

B：企業会計では収益ではないが、法人税法上益金に該当するもの
（例）みなし配当など

ロ）費用と損金

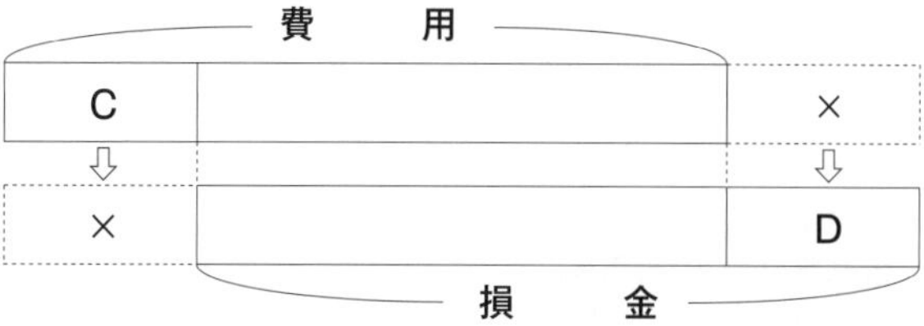

C		×
×		D

C：企業会計では費用であるが、法人税法上損金に該当しないもの
（例）減価償却超過額、引当金繰入超過額など

D：企業会計では費用ではないが、法人税法上損金に該当するもの
（例）収用等の所得の特別控除額など

上記のように、収益と益金、費用と損金の範囲が異なることから、益金から損金を控除して求める所得は、企業会計での収益から費用を控除して求めた利益とは金額が異なる。なお、実際の法人税法では、次のように企業会計上の税引前当期純利益にAからDを加減することで所得を算定する。

企業会計上の利益		××××
加　算		
益 金 算 入	B	＋　××
損金不算入	C	＋　××
減　算		
益金不算入	A	△　××
損 金 算 入	D	△　××
法人税法上の所得		×××

この所得に税率を乗じて税額を算出し、損益計算書の末尾に表示されることとなる。

⋮	⋮	
税引前当期純利益	**×××**	**◀—収益－費用（企業会計上）**
法　人　税　等	**×××**	**◀—所得×税率**
当　期　純　利　益	×××	**▲—益金－損金（法人税法上）**

損益計算書末尾の法人税等は、当期に納付すべき税額を計上している。また、企業会計上の利益に税率を乗じて算定したものではないため、税引前当期純利益と法人税等は対応していない。これにつき、税引前当期純利益と法人税等の額を対応させるのが税効果会計である。

③　税効果会計の仕組み

税効果会計は、当期に納付すべき法人税等を計上する従来の方法（これを、納税額方式という）とは異なり、会計上、法人税等の費用性を前提に、当期の税引前当期純利益が負担すべき法人税等を計上するために、法人税等を期間配分する方法である。

税効果会計（資産負債法）の会計処理および財務諸表への表示

①　一時差異と永久差異

1）資産負債法

税効果会計の会計処理方法には、繰延法と資産負債法の２つの方法があるが、「税効果会計に係る会計基準」では資産負債法を採用している。

企業会計上の利益と法人税法上の所得の差異は、収益と益金または費用と損金の認識のズレから生じる。資産負債法では、この認識のズレは貸借対照表に反映されるものとしてとらえる。

すなわち、認識のズレは純資産の部を構成する企業会計上の利益剰余金と法人税法上の利益積立金の差異としてとらえ、両者に差が存在すれば、企業会計上の資産と法人税法上の資産の差異、または企業会計上の負債と法人税法上の負債の差異としてとらえる。

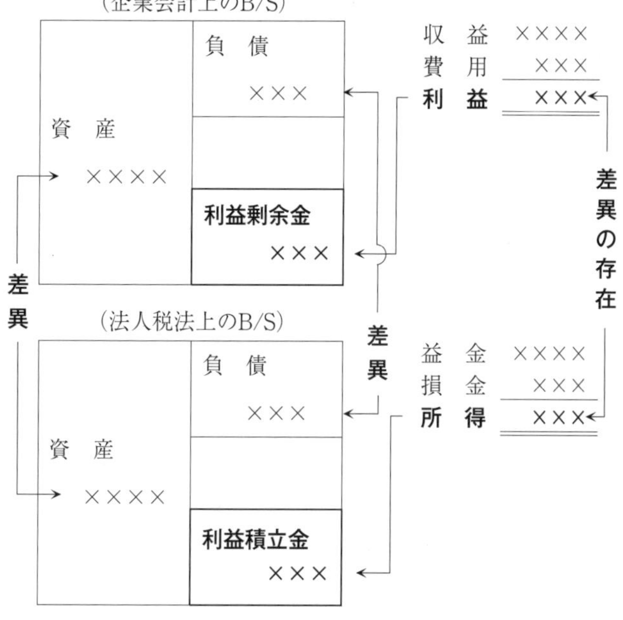

2）一時差異と永久差異

企業会計上と法人税法上の資産または負債の金額に差異がある場合、その差異の原因別に一時差異と永久差異に大別され、一時差異はさらに、将来減算一時差異と将来加算一時差異に細分される。

一時差異：収益と益金、費用と損金として取り扱うことは企業会計も法人税法も同じであるが、認識時点にズレが生じることに起因する差異のこと。

- **将来減算一時差異**：差異が生じたときに所得の計算上加算され、将来、その差異が解消するときに所得の計算上減算されるもの。
- **将来加算一時差異**：差異が生じたときに所得の計算上減算され、将来、その差異が解消するときに所得の計算上加算されるもの。

永久差異：収益と益金、費用と損金として取り扱うこと自体が異なることに起因する差異のこと。

一時差異は、企業会計と法人税法とにおける収益と益金、費用と損金の認識時点のズレに過ぎないのであるから、その差異は時間の経過とともに解消する。これに対し永久差異は、認識それ自体の違いに起因するため、その差異は永久に解消しないことになる。

税効果会計は、一時差異に該当する項目についてのみ対象とし、一時差異がもたらす法人税等への影響額を「税効果」として表現する。なお、「税効果会計に係る会計基準」では、この一時差異に、法人税法上の繰越欠損金および繰越外国税額控除を含めて「一時差異等」と表現するが、財務諸表論上では「一時差異」として覚えておけばよいであろう。

3）将来減算一時差異と将来加算一時差異の具体例

イ）将来減算一時差異の具体例

「税金の前払い」として取り扱われる将来減算一時差異には、次のようなものがある。

・減価償却超過額
・引当金繰入超過額
・棚卸資産および有価証券の評価損否認額
・貸倒損失否認額　　など

ロ）将来加算一時差異の具体例

「税金の繰延べ」として取り扱われる将来加算一時差異には、次のようなものがある。

・利益処分による租税特別措置法上の諸準備金の計上
・利益処分方式による固定資産の圧縮記帳に係る圧縮積立金　など

上記イ）およびロ）のいずれも法人税法上の取扱いに係るものであるため、財務諸表論ではこれらの項目を押さえておくだけでよいであろう。

② **会計処理**

1）将来減算一時差異の場合

イ）将来減算一時差異の条件

企業会計上の利益＜法人税法上の所得

↑

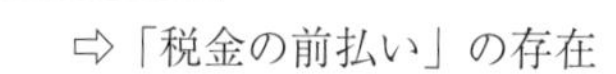

(a)	差異に起因する企業会計上の資産の簿価	＜	差異に起因する法人税法上の資産の簿価
		または	
(b)	差異に起因する企業会計上の負債の簿価	＞	差異に起因する法人税法上の負債の簿価

ロ）税効果額

(a)（法人税法上の資産の簿価－企業会計上の資産の簿価）
×法定実効税率※

または

(b)（企業会計上の負債の簿価－法人税法上の負債の簿価）
×法定実効税率※

※　法定実効税率は、次の算式により計算された税率である。

$$\text{法定実効税率}=\frac{\text{法人税率}\times(1+\text{地方法人税率}+\text{住民税率})+\text{事業税率}}{1+\text{事業税率}}$$

※　事業税率には、特別法人事業税が含まれる。なお、住民税率の引き下げと新たに創設された地方法人税率が一致しているため、法定実効税率には原則として影響はない。

ハ）仕訳および法人税等調整額の表示

繰延税金資産	×××	法人税等調整額	×××	*

*　この場合の法人税等調整額は、法人税等を間接的に減額することを意味し、損益計算書の末尾・法人税、住民税及び事業税の次に表示する。

2）将来加算一時差異の場合

イ）将来加算一時差異の条件

企業会計上の利益＞法人税法上の所得

↑

⇨「税金の繰延べ」の存在

(a)	差異に起因する企業会計上の資産の簿価	＞	差異に起因する法人税法上の資産の簿価

ロ）税効果額

（企業会計上の資産の簿価－法人税法上の資産の簿価）×法定実効税率

ハ）仕訳および法人税等調整額の表示

法人税等調整額	×××	繰延税金負債	×××*

＊　この場合の法人税等調整額は、法人税等を間接的に増額することを意味し、損益計算書の末尾・法人税、住民税及び事業税の次に表示する。

③　財務諸表の表示

1）法人税等調整額の損益計算書への表示

借方および貸方に生じた法人税等調整額を相殺し、相殺後の純額で表示する。

貸方残高の場合

⋮		⋮
税引前当期純利益		××
法人税、住民税及び事業税	××	
法人税等調整額	**△　××**	××
当期純利益		××

借方残高の場合

⋮		⋮
税引前当期純利益		××
法人税、住民税及び事業税	××	
法人税等調整額（＋）	**××**	××
当期純利益		××

2）繰延税金資産・繰延税金負債の貸借対照表への表示

イ）貸借対照表の表示区分

繰延税金資産は投資その他の資産の区分に表示し、繰延税金負債は固定負債の区分に表示する。

ロ）繰延税金資産・繰延税金負債の純額表示

繰延税金資産及び繰延税金負債は、相殺した純額で投資その他の資産又は固定負債に表示する。

税効果会計に関連する注記事項

税効果会計に関する注記

＜文　例＞

繰延税金資産及び繰延税金負債の発生原因別の主な内訳

繰延税金資産	
貸倒引当金	3,542千円
賞与引当金	24,000千円
未払事業税	2,360千円
退職給付引当金	15,520千円
有形固定資産	11,395千円
繰延税金資産小計	56,817千円
評価性引当額	△1,914千円
繰延税金資産合計	54,903千円
繰延税金負債	
その他有価証券評価差額金	△1,700千円
繰延税金負債合計	△1,700千円
繰延税金資産の純額	53,203千円

攻略のコツ

① 税効果会計の適用手順の把握
② 差異の内容に注意する。
③ 財務諸表上の表示方法を覚える。

ま と め

① 差異の把握
　1）将来減算一時差異
　2）将来加算一時差異
② 法定実効税率→通常は与えられる
③ 繰延税金資産・繰延税金負債の算定
④ 仕訳処理および財務諸表上の表示
⑤ 税効果会計に関する注記

設　例

> 次の〔資料〕に基づき、税効果会計を適用した場合の(1)会計処理および損益計算書の末尾（一部のみ）を作成しなさい。
> 〔資　料〕
> ①　第1期末の商品5,000千円につき陳腐化を原因とする評価損1,000千円を計上する。ただし、法人税法上、この商品評価損の損金算入が認められないため、所得の計算上否認された。
> 　この評価損に係る商品は、翌期において処分することを予定している。
> ②　税引前当期純利益は11,000千円である。
> ③　法人税、住民税及び事業税は4,840千円と計算されている。
> ④　法定実効税率は40%として計算すること。

解　説　　（仕訳の単位：千円）

(1)　会計処理

繰延税金資産	400	法人税等調整額＊	400

＊　法人税等調整額の算定過程

(a)　企業会計上の商品の簿価
商品5,000千円－評価損1,000千円＝4,000千円

(b)　法人税法上の商品の簿価
商品5,000千円（評価損の否認の結果）

(c)　法人税等調整額
（税法上簿価5,000千円－会計上簿価4,000千円）
×法定実効税率40%＝400千円

(2)　損益計算書の末尾（単位：千円）

⋮		⋮
商品評価損		1,000
⋮		⋮
税引前当期純利益		11,000
法人税、住民税及び事業税	4,840	
法人税等調整額	△400	4,440
当期純利益		6,560

設　例

> 決算修正において以下の項目が計上されることとなった。これに基づき、損益計算書および貸借対照表の必要な部分のみを作成しなさい。
> なお、当期より税効果会計を採用したため、期首の繰延税金資産および繰延税金負債は存在しない。
> (1)　法人税、住民税及び事業税　100,000千円
> (2)　繰延税金資産　15,000千円
> 　(内　訳)
> 　①　貸倒引当金繰入超過額（売掛金に係るもの）　5,000千円
> 　②　貸倒引当金繰入超過額（長期の更生債権に係るもの）　10,000千円
> (3)　繰延税金負債（長期）　26,000千円

解　説　　(仕訳の単位：千円)

(1)　会計処理

借方	金額	貸方	金額
繰延税金資産 <固定資産>	15,000	法人税等調整額 <P/L末尾>	15,000
法人税等調整額 <P/L末尾>	26,000	繰延税金負債 <固定負債>	26,000
繰延税金負債 <固定負債>	15,000	繰延税金資産 <固定資産>	15,000

(2)　損益計算書の末尾（単位：千円）

⋮		⋮
税引前当期純利益		××××
法人税、住民税及び事業税	100,000	
法人税等調整額	11,000	111,000
当期純利益		××××

(3)　貸借対照表

Ⅰ　流動資産	(×××)	Ⅰ　流動負債	(×××)
3　投資その他の資産	(×××)	Ⅱ　固定負債	(×××)
		繰延税金負債	11,000

MEMO

学習度チェック

18　分配可能額計算

重要度B ★★

●学習のポイント●

① 分配可能額は、最終事業年度末日の剰余金の額を基礎に算定することを理解する
② 効力発生日までの株主資本の計数を変動に伴う剰余金の額の調整方法を覚える
③ 分配可能額から控除される項目（自己株式の帳簿価額、のれん等調整額など）を覚える

分配可能額の計算

分配可能額＝最終事業年度末日の剰余金の額
　　　　　　±効力発生日までの剰余金の増減額
　　　　　　－自己株式の帳簿価額などの控除額

最終事業年度末日の剰余金の額

最終事業年度末日の剰余金の額
　　　　　＝最終事業年度末日のその他資本剰余金
　　　　　　＋最終事業年度末日のその他利益剰余金

効力発生日における剰余金の額

最終事業年度末日の剰余金の額
　　　　　±効力発生日までの剰余金の増減額

なお、効力発生日までの剰余金の増減の主な項目には以下のものがある。

① 資本金・資本準備金の減少によりその他資本剰余金が増加した場合
　⇒増加額を加算
② 利益準備金の減少に伴ってその他利益剰余金が増加した場合
　⇒増加額を加算
③ その他資本剰余金の減少により、資本金または資本準備金が増加した場合
　⇒減少額を減算
④ その他利益剰余金の減少により、利益準備金が増加した場合
　⇒減少額を減算

⑤　その他利益剰余金の減少により、資本金が増加した場合
　⇒減少額を減算
⑥　その他資本剰余金の減少による損失の処理による影響
　⇒影響なし
⑦　最終事業年度末日後の剰余金の配当により、剰余金が減少した場合
　⇒減少額を減算
⑧　最終事業年度末日後の剰余金の配当に伴い準備金を積み立てた場合
　⇒積立額を減算
⑨　最終事業年度末日後に自己株式を消却した場合
　⇒消却額を減算
⑩　最終事業年度末日後に自己株式を処分した場合
　⇒ 処分差益…加算
　　 処分差損…減算

控除すべき額

控除される主な項目としては、次のものがある。

①　自己株式の帳簿価額

効力発生日における自己株式の帳簿価額を控除する。

②　自己株式の処分対価

③　のれん等調整額

1）のれん等調整額の算定方法

$$\text{のれん等調整額} = \text{繰延資産の合計額} + \text{のれんの金額} \times \frac{1}{2}$$

2）控除する額

イ）のれん等調整額が資本等金額（最終事業年度の末日における資本金の額および準備金の額の合計額）以下である場合
　⇒控除額ゼロ

ロ）のれん等調整額が資本等金額およびその他資本剰余金の額の合計額以下である場合（上記イ）を除く）
　⇒のれん等調整額から資本等金額を減じて得た額（のれん等調整額－資本等金額）を控除

ハ）のれん等調整額が資本等金額およびその他資本剰余金の額の合計額を超えている場合において、のれんの２分の１の額が資本等金額およびその他資本剰余金の額の合計額以下のとき
　⇒のれん等調整額から資本等金額を減じて得た額（のれん等調整額－資本等金額）を控除

ニ）のれん等調整額が資本等金額およびその他資本剰余金の額の合計額を超えている場合において、のれんの２分の１の額が資本等金額およびその他資本剰余金の額の合計額を超えているとき

⇒その他資本剰余金の額と繰延資産の部の金額の合計額を控除

④　評価・換算差額等

その他有価証券評価差額金および土地再評価差額金のうち評価差損⇒全額を控除（評価差益の場合は考慮不要）

ま と め

①　分配可能額の算定

分配可能額＝最終事業年度末日の剰余金の額
　　　　　　±効力発生日までの剰余金の増減額
　　　　　　－自己株式の帳簿価額などの控除額

②　最終事業年度末日の剰余金の額

最終事業年度末日の剰余金の額
＝最終事業年度末日のその他資本剰余金
　＋最終事業年度末日のその他利益剰余金

③　効力発生日における剰余金の額

効力発生日における剰余金の額
＝最終事業年度末日の剰余金の額
　±効力発生日までの剰余金の増減額

④　控除すべき額

1）自己株式の帳簿価額
2）自己株式の処分対価
3）のれん等調整額
4）評価・換算差額等

設例

剰余金の配当等の効力発生日における分配可能額を計算しなさい。

1　最終事業年度の末日の貸借対照表の計数の一部（単位：千円）

株式交付費　30,000　開発費　5,000　のれん　152,000
資本金　50,000　資本準備金　6,000　その他資本剰余金　40,000
利益準備金　3,000　別途積立金　50,000　繰越利益剰余金　10,000
自己株式　2,000　その他有価証券評価差額金　3,000（借方残）

2　効力発生日までの株主資本の計数変動等は以下のとおりである。

(1)　別途積立金10,000千円を繰越利益剰余金に振り替えた。
(2)　その他資本剰余金5,500千円を資本準備金に振り替えた。
(3)　最終事業年度の末日後に自己株式を3,000千円取得した。
(4)　最終事業年度の末日後に帳簿価額2,000千円の自己株式を消却した。
(5)　最終事業年度の末日後に帳簿価額2,000千円の自己株式を1,500千円で処分した。

解説

1　最終事業年度末日における剰余金の額

40,000千円（その他資本剰余金）＋（50,000千円＋10,000千円）（その他利益剰余金）＝100,000千円

2　効力発生日における剰余金の額

(1)　最終事業年度末日における剰余金の額
100,000千円

(2)　効力発生日までの剰余金の増減額

①　別途積立金の繰越利益剰余金への振替
影響なし

②　その他資本剰余金の資本準備金への振替
5,500千円をマイナス

③　自己株式の消却
2,000千円をマイナス

④　自己株式の処分（処分差損）
500千円をマイナス

⑤　増減額
②＋③＋④＝8,000千円（減算）

(3) (1)－(2)＝92,000千円

3 控除すべき額

(1) 効力発生日における自己株式の帳簿価額

2,000千円＋3,000千円－2,000千円－2,000千円＝1,000千円

(2) 自己株式の処分対価

1,500千円

(3) のれん等調整額

① のれん等調整額

$$\underbrace{30{,}000\text{千円}+5{,}000\text{千円}}_{\text{繰延資産}}+\underbrace{152{,}000\text{千円}}_{\text{のれん}}\times\frac{1}{2}$$

＝111,000千円

② 分配可能額からの控除額

(a) $\underbrace{111{,}000\text{千円}}_{\text{のれん等調整額}}$

(b) $\underbrace{50{,}000\text{千円}}_{\text{資本金}}+(\underbrace{6{,}000\text{千円}+3{,}000\text{千円}}_{\text{準備金}})+\underbrace{40{,}000\text{千円}}_{\text{その他資本剰余金}}$

＝99,000千円

(c) (a)＞(b)

(d) $\underbrace{152{,}000\text{千円}}_{\text{のれん}}\times\frac{1}{2}=76{,}000\text{千円}$

(e) (d)＜(b)

$\therefore\ \underbrace{111{,}000\text{千円}}_{\text{のれん等調整額}}-\{\underbrace{50{,}000\text{千円}}_{\text{資本金}}+(\underbrace{6{,}000\text{千円}+3{,}000\text{千円}}_{\text{準備金}})\}$

＝52,000千円

(4) その他有価証券評価差額金

3,000千円

(5) 控除額

(1)＋(2)＋(3)＋(4)＝57,500千円

4 効力発生日における分配可能額

2－3＝34,500千円

MEMO

学習度チェック

19 外貨建取引

重要度B ★★

●学習のポイント●

① 外貨建取引の発生時においてどのような為替相場を適用するか
② 外貨建金銭債権・債務の決済時においてどのような為替相場を適用するか
③ 決算時においてどのような為替相場を適用するか
④ 為替予約（振当処理）にかかわる取引の処理の違いを明確にする
⑤ 外貨建有価証券の期末評価の会計処理を明確にする

取引発生時において適用する為替相場

①外国通貨、②外貨建預金、③外貨建金銭債権、④外貨建有価証券、⑤外貨建金銭債務、⑥外貨建収益、⑦外貨建費用…発生時または取得時の為替相場

取引決済時において適用する為替相場

外貨建金銭債権・債務の決済に伴う収入・支出→決済時の為替相場

為替差損益の会計処理と表示

① 為替差益と為替差損の両方が生じている場合には、相殺していずれか一方で表示する。
② P/L表示は、為替差益（営業外収益）または為替差損（営業外費用）となる。

決算時において適用する為替相場

(1) 外国通貨 (2) 外貨建預金 (3) 外貨建金銭債権 (4) 外貨建金銭債務	…決算時の為替相場

為替予約とは

① 為替レートの変動が期間損益に及ぼす影響を回避するために、取得時において当事者間から生じる外貨建金銭債権・債務の決済時における円貨額をあらかじめ決めておくことがある。これを為替予約という。

② 為替予約が付されている外貨建金銭債権・債務については、当該為替予約に基づく円貨額を付すこととしている。

③ デリバティブ取引である為替予約は、原則として期末に時価評価を行うことになる。しかし、ヘッジ会計の要件を満たしている場合には、当面の間、振当処理を適用することもできる。

ここでは、「振当処理」による会計処理のみを学習する。

為替予約が付された場合の会計処理（振当処理）

① 外貨建短期金銭債権・債務に対して取引発生後に為替予約を付したケース（取引に現金等の収支が伴う場合・伴わない場合共通）

1）取引発生日…取引全体を取引発生時の為替レートで換算する。

売　掛　金　××／売　上　高　××

2）為替予約日

イ）債権・債務を予約時の直物レートで換算し、直々差額を計上する。

・為替差損の場合

為替差損　××／売　掛　金　××

・為替差益の場合

売　掛　金　××／為替差益　××

ロ）上記イ）の換算を行った債権・債務を、さらに予約レートで換算し、直先差額を計上する。

・為替差損の場合

前払費用　××／売　掛　金　××

・為替差益の場合

売　掛　金　××／前受収益　××

3）決算日…直先差額のうち当期分を為替差損益に振り替える。

・為替差損の場合

為替差損　××／前払費用　××

・為替差益の場合

前受収益　××／為替差益　××

※1　為替予約日において、外貨建金銭債権・債務のみを予約時

の直物レートで換算し直し、直々差額を為替差損益として計上する。

さらに、外貨建金銭債権・債務を予約レートにより換算し、直先差額を前払費用または前受収益として計上する。

※2　決算日において、直先差額のうち当期分を為替差損益に振り替える。なお、直々差額とは、取引発生時の直物為替相場（直物レート）と予約時の直物為替相場との差額をいい、直先差額とは予約時の直物為替相場と先物為替相場（予約レート）の差額をいう。

②　外貨建長期金銭債権・債務に対して取引発生後に為替予約を付したケース（取引に現金等の収支が伴う場合・伴わない場合共通）

1）取引発生日…取引全体を取引発生時の為替レートで換算する。

現金及び預金　××／長期借入金　××

2）為替予約日

イ）債権・債務を予約時の直物レートで換算し、直々差額を計上する。

・為替差損の場合

為替差損　××／長期借入金　××

・為替差益の場合

長期借入金　××／為替差益　××

ロ）上記イ）の換算を行った債権・債務を、さらに予約レートで換算し、直先差額を計上する。

・為替差損の場合

長期前払費用　××／長期借入金　××

・為替差益の場合

長期借入金　××／長期前受収益　××

（注）直先差額については、予約時において長期前払費用または長期前受収益として処理する。

3）決算日…直先差額のうち当期分を為替差損益に振り替える。

・為替差損の場合

為替差損　××／長期前払費用　××

・為替差益の場合

長期前受収益　××／為替差益　××

※1　為替予約日において、外貨建金銭債権・債務のみを予約時の直物レートで換算し直し、直々差額を為替差損益として計上する。

さらに、外貨建金銭債権・債務を予約レートにより換算し、直先差額を長期前払費用または長期前受収益として計上する。

※2　決算日において、直先差額のうち当期分を為替差損益に振り替える。

※3　外貨建長期金銭債権・債務に為替予約を付したことにより生じた直先差額のうち、翌期以降分を繰り延べる場合に計上される長期前払費用・長期前受収益は、1年基準を適用せず、その全額を投資その他の資産または固定負債の区分に計上する。

※4　ただし、決済日が翌期中に到来することとなった場合には、前払費用・前受収益として、流動資産または流動負債に計上する。

③　外貨建短期金銭債権・債務に対して取引発生時以前（取引発生時＝為替予約時を含む）に為替予約を付したケース（取引に現金等の収支が伴う場合）

1）取引発生日…債権・債務のみを予約レートで換算し、直先差額を計上する。

・為替差損の場合

借方		貸方	
現金及び預金	××	短期借入金	××
前払費用	××		

・為替差益の場合

借方		貸方	
現金及び預金	××	短期借入金	××
		前受収益	××

（注）取引発生時以前に為替予約を付した場合には、取引発生日と予約日が実質的に同一と考えられるため、レートの変動は生じないことから、直々差額は計上されない。

2）決算日…直先差額のうち当期分を為替差損益に振り替える。

・為替差損の場合

借方		貸方	
為替差損	××	前払費用	××

・為替差益の場合

借方		貸方	
前受収益	××	為替差益	××

※1　取引発生日において、現金収支額は発生時の直物レートで換算し、外貨建金銭債権・債務のみを予約レートで換算し、直先差額を前払費用または前受収益として計上する。

※2　決算日において、直先差額のうち当期分を為替差損益に振り替える。

④　外貨建長期債権・債務に対して取引発生時以前（取引発生時＝為替予約時を含む）に為替予約を付したケース（取引に現金等の収支が伴う場合）

1）取引発生日…債権・債務のみを予約レートで換算し、直先差額を計上する。

・為替差損の場合

借方		貸方	
現金及び預金	××	長期借入金	××
長期前払費用	××		

・為替差益の場合

借方		貸方	
現金及び預金	××	長期借入金	××
		長期前受収益	××

（注）取引発生時以前に為替予約を付した場合には、取引発生日と予約日が実質的に同一と考えられるため、レートの変動は生じないことから、直々差額は計上されない。

2）決算日…直先差額のうち当期分を為替差損益に振り替える。

・為替差損の場合

借方		貸方	
為替差損	××	長期前払費用	××

・為替差益の場合

借方		貸方	
長期前受収益	××	為替差益	××

※1　取引発生日において、現金収支額は発生時の直物レートで換算し、外貨建金銭債権・債務のみを予約レートで換算し、直先差額を長期前払費用または長期前受収益として計上する。

※2　決算日において、直先差額のうち当期分を為替差損益に振り替える。

外貨建有価証券の期末換算

1　償却原価法を適用しない場合

①　売買目的有価証券

外貨建の売買目的有価証券の貸借対照表価額は、外貨ベースの時価を決算時の為替相場により円換算した額とする。また、貸借対照表価額と円貨ベースでの取得原価との差額は評価損益として、当期の損益計算書に計上する。

［算定過程］

<計算手順>

(1) 取得原価の算定：外貨ベースの取得原価×HR＝取得原価

(2) B/S価額の算定：外貨ベースの時価×CR＝B/S価額

(3) 評価差額の算定：(2)－(1)＝有価証券評価損益

※CR（Current Rate） →決算時の為替相場

HR（Historical Rate）→取得時の為替相場

② 満期保有目的の債券

外貨建の満期保有目的の債券の貸借対照表価額は、外貨ベースの取得原価を決算時の為替相場により円換算した額とする。また、貸借対照表価額と円貨ベースでの取得原価との差額は、為替差損益として当期の損益計算書に計上する。

[算定過程]

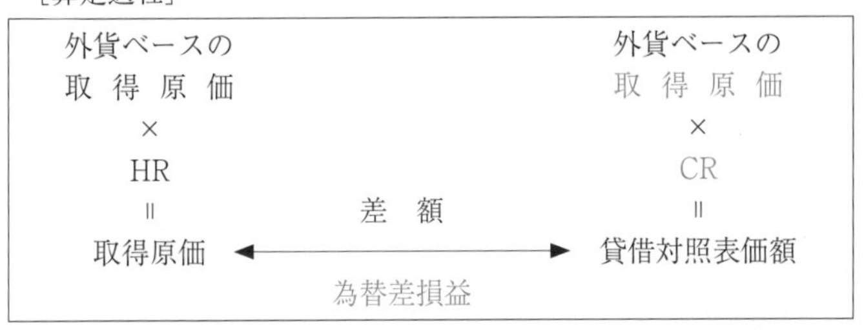

<計算手順>

(1) 取得原価の算定：外貨ベースの取得原価×HR＝取得原価

(2) B/S価額の算定：外貨ベースの取得原価×CR＝B/S価額

(3) 差額の算定：(2)－(1)＝為替差損益

③ 子会社株式および関連会社株式

外貨建の子会社株式および関連会社株式の貸借対照表価額は、外貨ベースの取得原価を取得時の為替相場により円換算した額とする。よって貸借対照表価額と円貨ベースでの取得原価との差額は生じない。

[算定過程]

差額は生じない

④ 市場価格のあるその他有価証券

外貨建の市場価格のあるその他有価証券の貸借対照表価額は、外貨ベースの時価を決算時の為替相場により円換算した額とする。また、貸借対照表価額と円貨ベースの取得原価との差額は評価差額として、税効果会計適用の上、純資産の部の評価・換算差額等に計上する。

ただし、部分純資産直入法を採用している場合に生じた評価差損は、直接当期の損益計算書に計上することとなる。
[算定過程]

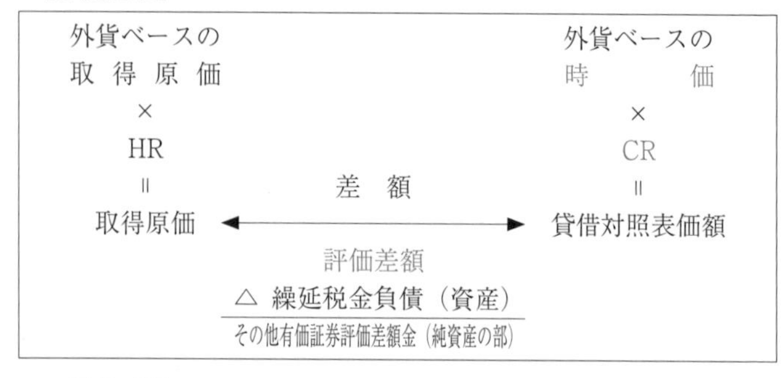

<計算手順>

(1) 取得原価の算定：外貨ベースの取得原価×HR＝取得原価
(2) B/S価額の算定：外貨ベースの時価 ×CR＝B/S価額
(3) 評価差額の算定：(2)－(1)＝評価差額
(4) 評価差額金の算定：評価差額－評価差額×法定実効税率
<繰延税金負債（資産）>
＝その他有価証券評価差額金

⑤ 市場価格のないその他有価証券

外貨建の市場価格のないその他有価証券の貸借対照表価額は、外貨ベースの取得原価を決算時の為替相場により円換算した額とする。また、貸借対照表価額と円貨ベースの取得原価との差額は評価差額として、税効果会計適用の上、純資産の部の評価・換算差額等に計上する。

ただし、部分純資産直入法を採用している場合に生じた評価差損は、直接当期の損益計算書に計上することとなる。
[算定過程]

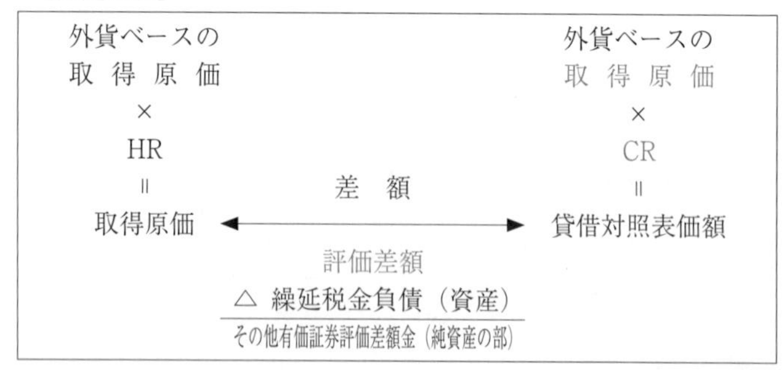

＜計算手順＞

(1) 取得原価の算定：外貨ベースの取得原価×HR＝取得原価

(2) B/S価額の算定：外貨ベースの取得原価×CR＝B/S価額

(3) 評価差額の算定：(2)－(1)＝評価差額

(4) 評価差額金の算定：評価差額－評価差額×法定実効税率

＜繰延税金負債（資産）＞

＝その他有価証券評価差額金

⑥ 外貨建有価証券に対する強制評価減の適用

1）適用対象

市場価格のある満期保有目的の債券、子会社株式および関連会社株式、その他有価証券

2）適用方法

イ）「著しい下落」の判断

外貨建有価証券において、著しく下落したか否かの判断は決算時の外貨ベースの時価と外貨ベースの取得原価とを比較して行うこととなる。

ロ）期末評価額

外貨建有価証券について、時価の著しい下落により評価額の引下げが求められる場合の貸借対照表価額は、外貨ベースの時価を決算時の為替相場により円換算した額とし、貸借対照表価額と円貨ベースの取得原価との差額は当該有価証券の評価損として、切り放し方式により処理する。

［算定過程］

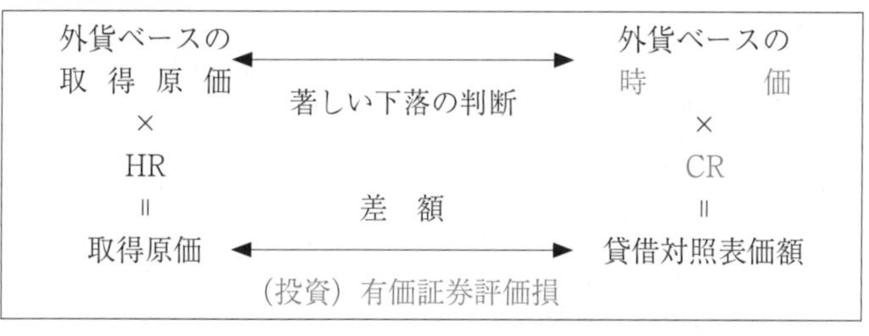

＜計算手順＞

(1) 取得原価の算定：外貨ベースの取得原価×HR＝取得原価

(2) B/S価額の算定：外貨ベースの時価×CR＝B/S価額

(3) 評価差額の算定：(2)－(1)＝（投資）有価証券評価損

なお、強制評価減の適用により生じた当該有価証券の評価損は、損益計算書の特別損失に表示する。

⑦ **外貨建有価証券に対する実価法の適用**

1）適用対象

市場価格のない株式

2）適用方法

イ）「著しい低下」の判断

外貨建有価証券において、著しく低下したか否かの判断は決算時の外貨ベースの実質価額と外貨ベースの取得原価とを比較して行うこととなる。

ロ）期末評価額

外貨建有価証券について、実質価額の著しい低下により評価額の引下げが求められる場合の貸借対照表価額は、外貨ベースの実質価額を決算時の為替相場により円換算した額とし、貸借対照表価額と円貨ベースの取得原価の差額は当該有価証券の評価損として、切り放し方式により処理する。

[算定過程]

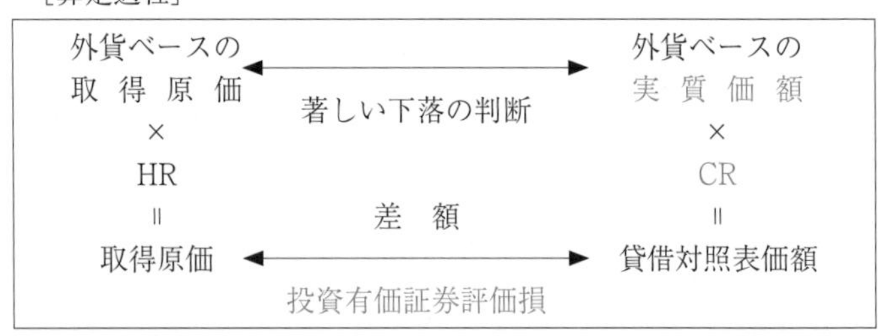

<計算手順>

(1) 取得原価の算定：外貨ベースの取得原価×HR＝取得原価

(2) B/S価額の算定：外貨ベースの実質価額×CR＝B/S価額

(3) 評価差額の算定：(2)−(1)＝投資有価証券評価損

なお、実価法の適用により生じた投資有価証券評価損は、損益計算書の特別損失に表示する。

2 償却原価法を適用する場合

① **満期保有目的の債券**

外貨建ての満期保有目的の債券について、償却原価法を適用している場合には、外貨ベースの償却原価を決算時の為替相場により円換算した額を貸借対照表価額とする。

なお、償却額は外貨ベースの償却額を期中平均相場（Average Rate＝A R）により円換算した額とする。貸借対照表価額と円貨ベースでの償却原価との差額は、為替差損益として当期の損益計算書に計上する。

［算定過程］

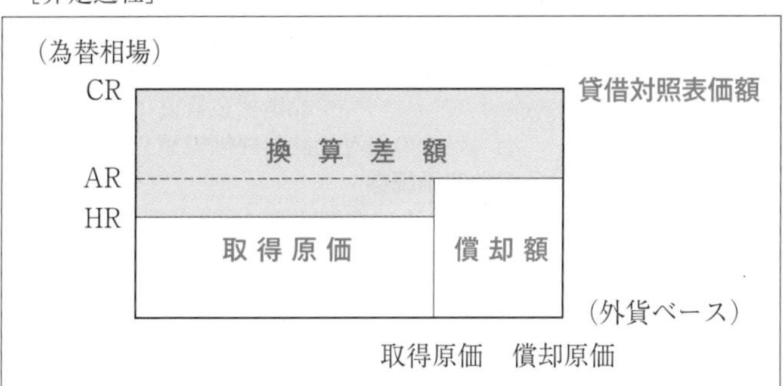

<計算手順>

(1) 償却額の算定：外貨ベースの償却額×AR＝償却額（有価証券利息）
(2) 償却原価の算定：取得原価＋償却額＝償却原価
(3) B/S価額の算定：外貨ベースの償却原価×CR＝B/S価額
(4) 換算差額の算定：(3)－(2)＝換算差額（為替差損益）

② 市場価格のあるその他有価証券

外貨建の市場価格のあるその他有価証券に属する債券について、償却原価法を適用している場合の評価差額は次のように計算する。

ただし、部分純資産直入法を採用している場合に生じた評価差損は、直接当期の損益計算書に評価損として計上することとなる。

［算定過程］

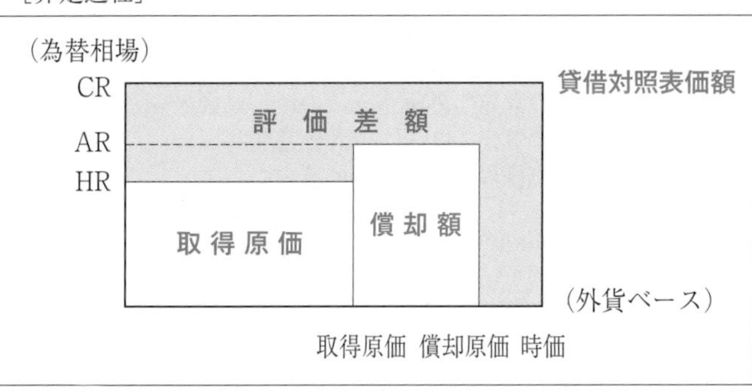

<計算手順>

(1) 償却額の算定：外貨ベースの償却額×AR＝償却額（有価証券利息）
(2) 償却原価の算定：取得原価＋償却額＝償却原価
(3) B/S価額の算定：外貨ベースの時価×CR＝B/S価額

(4) 評価差額の算定：(3)－(2)＝評価差額

(5) その他有価証券評価差額金の算定：

評価差額－評価差額×法定実効税率
<繰延税金負債（資産）>
＝その他有価証券評価差額金

③ 市場価格のないその他有価証券

外貨建の市場価格のないその他有価証券に属する債券について、償却原価法を適用している場合の評価差額は次のように計算する。

ただし、部分純資産直入法を採用している場合に生じた評価差損は、直接当期の損益計算書に評価損として計上することとなる。

[算定過程]

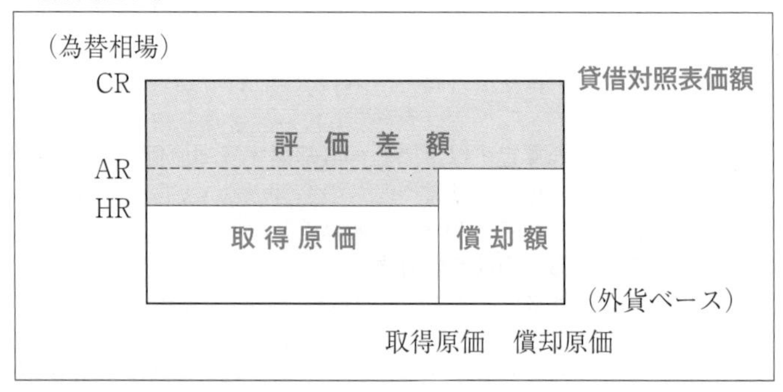

<計算手順>

(1) 償却額の算定：外貨ベースの償却額×AR＝償却額（有価証券利息）

(2) 償却原価の算定：取得原価＋償却額＝償却原価

(3) B/S価額の算定：外貨ベースの償却原価×CR＝B/S価額

(4) 評価差額の算定：(3)－(2)＝評価差額

(5) その他有価証券評価差額金の算定：

評価差額－評価差額×法定実効税率
<繰延税金負債（資産）>
＝その他有価証券評価差額金

外貨建取引に関連する注記事項

重要な会計方針

外貨建資産・負債の換算基準

<文　例>

イ　外貨建資産・負債は、「外貨建取引等会計処理基準」に基づいて換算している。
ロ　為替予約の処理は、独立処理を採用している。
ハ　為替予約の処理は、振当処理を採用している。

重要語句解説

●直々差額

直々差額とは取引発生時の直物為替相場（直物レート）と予約時の直物為替相場との差額をいう。

●直先差額

直先差額とは予約時の直物為替相場と先物為替相場（予約レート）の差額をいう。

攻略のコツ

① 為替予約を付した場合の会計処理（振当処理）を、各ケースごとに十分に理解する。
② 有価証券の分類に従い、換算をできるようにする。

まとめ

① 取引発生時において適用する為替相場→発生時または取得時の為替相場

② 取引決済時において適用する為替相場

外貨建金銭債権・債務の決済に伴う収入・支出→決済時の為替相場

③ 為替差損益の P/L 表示区分→純額で表示

1）為替差益…営業外収益

2）為替差損…営業外費用

④ 為替予約が付された場合の会計処理（振当処理）

1）直々差額→予約日の属する期の為替差損益

2）直先差額→期間配分

イ 当期分：為替差損益

ロ 次期以降分：（長期）前払費用

（長期）前受収益

⑤ 外貨建有価証券の換算基準（償却原価法を適用しない場合）

	期末換算レート	貸借対照表価額	換算差額の処理
売買目的有価証券	CR	外貨時価×CR	当期の有価証券評価損益
満期保有目的の債券	CR	外貨取得原価×CR	当期の為替差損益
子会社株式関連会社株式	HR	外貨取得原価×HR	――――
市場価格のあるその他有価証券	CR	外貨時価×CR	評価差額は税効果会計適用のうえ純資産の部に計上
市場価格のないその他有価証券	CR	外貨取得原価×CR	評価差額は税効果会計適用のうえ純資産の部に計上
強制評価減	CR	外貨時価×CR	当期の損失として処理
実価法	CR	外貨実質価額×CR	当期の損失として処理

設　例

当社（会計期間：X4年4月1日からX5年3月31日）は、アメリカのA社に対して商品100千ドルを掛（決済日：X5年10月31日）で輸出した。
1　輸出日（X4年6月1日、1ドル＝100円）
2　為替予約日（X4年11月1日、1ドル＝104円
予約レートは1ドル＝110円）
3　決算日（1ドル＝108円）
4　為替予約差額の会計処理は振当処理によるものとする。

解　説　（仕訳の単位：千円）

1　輸出日

売　掛　金　10,000／売　上　高　10,000

2　為替予約日

売　掛　金　400／為　替　差　益　400＊1
売　掛　金　600／前　受　収　益　600＊2

＊1　（104円／ドル－100円／ドル）×100千ドル＝400千円
（直々差額）

＊2　（110円／ドル－104円／ドル）×100千ドル＝600千円
（直先差額）

3　決算日

前　受　収　益　250／為　替　差　益　250＊

＊　600千円×$\frac{5カ月}{12カ月}$＝250千円（為替差益・P/L営業外収益）

設　例

> 当社（当期はX4年4月1日からX5年3月31日まで）は、米国のY社がX4年4月1日に以下の条件で発行した社債を発行と同時に全額取得した。
> 【発行条件】
> 額面総額：500千ドル　　発行価額：480千ドル
> 償還期間：5年
> 額面金額と発行価額との差額は金利の調整部分であるため償却原価法（定額法）を適用する。
> 当社は、当該社債をその他有価証券として処理している。また、当該社債の決算日現在の時価は490千ドルである。
> なお、取得時の直物為替相場は1ドル＝120円、決算時の直物為替相場は1ドル＝130円、期中平均相場は1ドル＝125円であり、法定実効税率は40%である。

解　説

（仕訳の単位：千円）

借方	金額	貸方	金額
投資有価証券	500	有価証券利息	500＊1
投資有価証券	5,600	繰延税金負債	2,240＊2
		その他有価証券評価差額金	3,360＊2

＊1① 償却額の算定：$(500\text{千ドル}-480\text{千ドル})\times\dfrac{12\text{カ月}}{5\text{年}\times 12\text{カ月}}=4\text{千ドル}$

4千ドル×125円／ドル＝500千円

＊2② 償却原価の算定：480千ドル×120円／ドル＋500千円＝58,100千円

③ B/S価額の算定：490千ドル×130円／ドル＝63,700千円

④ 評価差額の算定：③－②＝5,600千円

⑤ その他有価証券評価差額金の算定：5,600千円－5,600千円×40%＝3,360千円

<繰延税金負債＝2,240千円>

（為替相場）

CR＝130円／＄

評　価　差　額
5,600千円

貸借対照表価額
63,700千円

AR＝125円／＄

HR＝120円／＄

取得原価
57,600千円

償却額
500千円

（外貨ベース）

取得原価　償却原価　時価
＄480,000　＄484,000　＄490,000

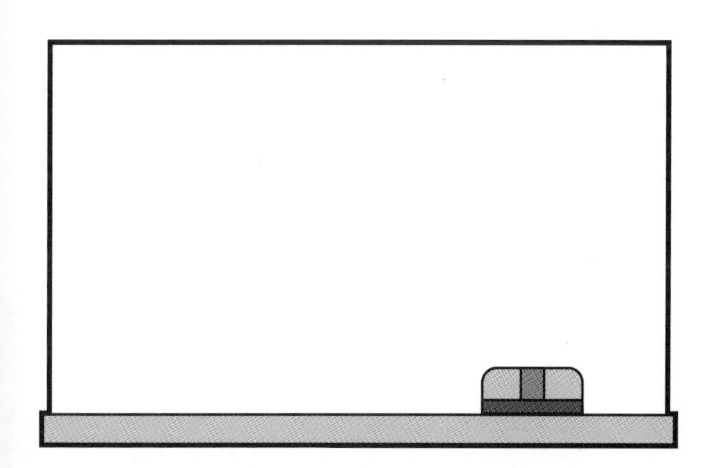

学習度チェック

20　財務諸表等規則における固有の表示

重要度C
★

●学習のポイント●

①　財務諸表等規則におけるB/S・P/Lの標準フォームを覚える
②　財務諸表等規則における債権・債務および有価証券の表示をマスターする

財務諸表等規則における財務諸表の体系

「経理の状況」
〈財務諸表〉
①　貸借対照表
②　損益計算書
　　製造原価明細書
③　株主資本等変動計算書
④　キャッシュ・フロー計算書
　　重要な会計方針
　　会計方針の変更
　　注記事項（一括注記方式）
　　　貸借対照表関係
　　　損益計算書関係
　　　　　⋮
　　　税効果会計関係
　　　１株当たり情報
　　　重要な後発事象
⑤　附属明細表

MEMO

財務諸表等規則における貸借対照表の標準フォーム

【貸借対照表】 （単位：千円）

	当事業年度 （×年×月×日）
資産の部	
流動資産	
現金及び預金	×××
受取手形	×××
貸倒引当金	△×××
受取手形（純額）	×××
売掛金	×××
貸倒引当金	△×××
売掛金（純額）	×××
有価証券	×××
親会社株式	×××
商品	×××
貯蔵品	×××
前渡金	×××
前払費用	×××
未収収益	×××
株主、役員又は従業員に対する短期債権	×××
貸倒引当金	△×××
株主、役員又は従業員に対する短期債権（純額）	×××
短期貸付金	×××
貸倒引当金	△×××
短期貸付金（純額）	×××
未収入金	×××
………………	×××
流動資産合計	×××
固定資産	
有形固定資産	
建物	×××
減価償却累計額	△×××
建物（純額）	×××
機械及び装置	×××
減価償却累計額	△×××
機械及び装置（純額）	×××
………………	×××
………………	△×××
………………	×××
土地	×××
建設仮勘定	×××
………………	×××
有形固定資産合計	×××
無形固定資産	
のれん	×××
借地権	×××
………………	×××
無形固定資産合計	×××
投資その他の資産	
投資有価証券	×××
関係会社株式	×××
関係会社社債	×××
出資金	×××
関係会社出資金	×××

長期貸付金	×××
貸倒引当金	△×××
長期貸付金（純額）	×××
株主、役員又は従業員に対する長期貸付金	×××
貸倒引当金	△×××
株主、役員又は従業員に対する長期貸付金（純額）	×××
関係会社長期貸付金	×××
貸倒引当金	△×××
関係会社長期貸付金（純額）	×××
長期前払費用	×××
繰延税金資産	×××
………………	×××
投資その他の資産合計	×××
固定資産合計	×××
繰延資産	
創立費	×××
開業費	×××
………………	×××
繰延資産合計	×××
資産合計	×××
負債の部	
流動負債	
支払手形	×××
買掛金	×××
短期借入金	×××
未払金	×××
株主、役員又は従業員からの短期借入金	×××
従業員預り金	×××
………………	×××
流動負債合計	×××
固定負債	
社債	×××
長期借入金	×××
関係会社長期借入金	×××
株主、役員又は従業員からの長期借入金	×××
繰延税金負債	×××
………………	×××
固定負債合計	×××
負債合計	×××
純資産の部	
株主資本	
資本金	×××
資本剰余金	
資本準備金	×××
その他資本剰余金	×××
資本剰余金合計	×××
利益剰余金	
利益準備金	×××
その他利益剰余金	
新築積立金	×××
繰越利益剰余金	×××
利益剰余金合計	×××
自己株式	△×××
株主資本合計	×××
評価・換算差額等	
その他有価証券評価差額金	×××
評価・換算差額等合計	×××
新株予約権	×××
純資産合計	×××
負債純資産合計	×××

財務諸表等規則における損益計算書の標準フォーム

【損益計算書】　　　　（単位：千円）

	当事業年度 （自 ×年×月×日 至 ×年×月×日）
売上高	×××
売上原価	
商品（又は製品）期首棚卸高	×××
当期商品仕入高（又は当期製品製造原価）	×××
合計	×××
商品（又は製品）期末棚卸高	×××
商品（又は製品）売上原価	×××
売上総利益（又は売上総損失）	×××
販売費及び一般管理費	
給料手当	×××
役員報酬	×××
………………	×××
販売費及び一般管理費合計	×××
営業利益（又は営業損失）	×××
営業外収益	
受取利息	×××
有価証券利息	×××
受取配当金	×××
投資不動産賃貸料	×××
………………	×××
営業外収益合計	×××
営業外費用	
支払利息	×××
社債利息	×××
社債発行費償却	×××
………………	×××
営業外費用合計	×××
経常利益（又は経常損失）	×××
特別利益	
固定資産売却益	×××
………………	×××
特別利益合計	×××
特別損失	
固定資産売却損	×××
減損損失	×××
災害による損失	×××
………………	×××
特別損失合計	×××
税引前当期純利益（又は税引前当期純損失）	×××
法人税、住民税及び事業税	×××
法人税等調整額	×××
法人税等合計	×××
当期純利益（又は当期純損失）	×××

関係会社等に対する金銭債権・債務の表示

＜金銭債権・債務＞　　　　　　　　＜表示＞

① 関係会社に対する長期貸付金・長期借入金 →独立科目
② 関係会社に対する①以外の金銭債権・債務 →注記事項
③ 株主、役員、従業員に対する金銭債権・債務→独立科目

（単位：千円）

資産の部		負債の部	
Ⅰ 流動資産		Ⅰ 流動負債	
売掛金	××	短期借入金	××
株主短期貸付金	××	**役員短期借入金**	××
Ⅱ 固定資産		Ⅱ 固定負債	
3 投資その他の資産		**関係会社長期借入金**	××
関係会社長期貸付金	××	**株主長期借入金**	××
従業員長期貸付金	××		

（注1）関係会社に対する資産
売掛金　××千円
（注2）関係会社に対する負債
短期借入金　××千円

財務諸表等規則における有価証券の表示方法

区　分	科　目	内　　　容
流動資産	有価証券	①　売買目的有価証券 ②　1年内に満期の到来する社債その他の債券
	親会社株式	当社の親会社の発行する株式のうち貸借対照表日後1年以内に処分予定のもの
投資その他の資産	投資有価証券	所有有価証券のうち、有価証券、親会社株式、関係会社株式、関係会社社債、その他の関係会社有価証券のいずれにも該当しないもの
	関係会社株式	当社の子会社、関連会社および当社を関連会社とする会社の発行する株式
	親会社株式	当社の親会社の発行する株式のうち貸借対照表日後1年を超えて処分予定のもの
	関係会社社債	当社の親会社、子会社、関連会社および当社を関連会社とする会社の発行する社債
	その他の関係会社有価証券	当社の親会社、子会社、関連会社および当社を関連会社とする会社の発行する株式、社債以外の有価証券
	出　資　金	株式会社等以外に対する出資金（次の関係会社出資金となるものを除く）
	関係会社出資金	株式会社等以外の関係会社に対する出資金

※1　関係会社には当社の親会社も含まれることから、親会社株式も概念的には関係会社株式である。しかし、財務諸表等規則においては親会社株式を独立科目で表示することとしている。

なお、親会社株式については、保有期間の長短に応じて流動資産または固定資産・投資その他の資産のいずれかの区分に表示されることとなる。

※2　財務諸表等規則においては、株式だけでなく社債についても関係会社の発行するものは独立科目表示としている。

※3　有価証券の評価は、「金融基準」に従って行う。

攻略のコツ

会社計算規則におけるB/S・P/Lの標準フォームを頭におきながら、財務諸表等規則における標準フォームと比較のうえで一つ一つ確認していく。

まとめ

① 財務諸表等規則におけるB/S・P/Lの標準フォーム
② 金銭債権・債務の表示
　1）関係会社に対する長期貸付金・長期借入金、株主・役員・従業員に対する金銭債権・債務→独立科目表示
　2）関係会社に対する上記以外の金銭債権・債務→注記事項
③ 有価証券の表示科目
　1）流動資産→有価証券、親会社株式
　2）投資その他の資産→投資有価証券、親会社株式、関係会社株式、関係会社社債、その他の関係会社有価証券、出資金、関係会社出資金

設 例

決算整理前残高試算表の項目の一部 (単位：千円)
売掛金　80,000　　貸付金　45,000　　借入金　85,000
1　売掛金のうちには関係会社に対するものが28,000千円ある。
2　貸付金の内訳は次のとおりである。
①　株主に対する短期貸付金　12,000千円
②　関係会社に対する長期貸付金　20,000千円
③　従業員に対する長期貸付金　13,000千円
3　借入金の内訳は次のとおりである。
①　取締役からの短期借入金　10,000千円
②　関係会社からの短期借入金　15,000千円
③　関係会社からの長期借入金　46,000千円
④　株主からの長期借入金　14,000千円

解 説

(単位：千円)

資 産 の 部		負 債 の 部	
Ⅰ　流動資産		Ⅰ　流動負債	
売掛金	80,000	短期借入金	15,000
株主短期貸付金	12,000	役員短期借入金	10,000
Ⅱ　固定資産		Ⅱ　固定負債	
3　投資その他の資産		関係会社長期借入金	46,000
関係会社長期貸付金	20,000	株主長期借入金	14,000
従業員長期貸付金	13,000		

(注１) 関係会社に対する売掛金が28,000千円ある。
(注２) 関係会社に対する短期借入金が15,000千円ある。

MEMO

21　製造業の会計

重要度A ★★★

●学習のポイント●

① 期末仕掛品の評価
② 完成度換算法（平均法、先入先出法）および売価還元法
③ 製造原価報告書（C/R）の作成および製造業に固有の表示科目

製造業の原価の流れ

材料費（期首材料棚卸高・当期材料仕入高等）
労務費（賃金・給料・法定福利費等）
経　費（減価償却費・電力料・賃借料等）
→仕掛品→製品

製造業に固有の表示科目

① **棚卸資産の表示科目**→製品、半製品、原材料、仕掛品
② **有形固定資産の表示科目**→機械装置、工具器具備品
③ **売上原価の内訳科目**→期首製品棚卸高、当期製品製造原価、期末製品棚卸高
④ **棚卸資産に係る減耗損・評価損**
1）各棚卸資産のB/S表示科目の後に「減耗損」「評価損」を付す。
2）ただし、原材料に係る減耗損で原価性のあるものおよび原材料に係る評価損のうち製品の製造に関連して不可避的に発生するものと認められるものについては、原則、製造経費として製造原価報告書（C/R）に表示する。

製造原価報告書（C/R）

① 製造原価報告書は、当期製品製造原価の内訳明細を記載した一種の附属明細表。

② C/Rの標準フォーム（内訳を示さない方法）

製造原価報告書

自xx年×月×日

B株式会社　至xx年×月×日　（単位：千円）

科目	金額
Ⅰ 材料費	800,000
Ⅱ 労務費	300,000
Ⅲ 経費	600,000
当期総製造費用	1,700,000
期首仕掛品棚卸高	80,000
合計	1,780,000
期末仕掛品棚卸高	100,000
当期製品製造原価	1,680,000

③ **C/Rの標準フォーム（内訳を示す方法）**

製造原価報告書

自××年×月×日

B株式会社　　至××年×月×日　　（単位：千円）

科目	金額	
Ⅰ 材料費		
期首材料棚卸高	200,000	
当期材料仕入高	900,000	
合計	1,100,000	
期末材料棚卸高	300,000	
当期材料費		800,000
Ⅱ 労務費		
賃金	250,000	
退職給付費用	50,000	
当期労務費		300,000
Ⅲ 経費		
減価償却費	340,000	
電力料	200,000	
修繕費	60,000	
当期経費		600,000
当期総製造費用		1,700,000
期首仕掛品棚卸高		80,000
合計		1,780,000
期末仕掛品棚卸高		100,000
当期製品製造原価		1,680,000

④ **労務費・経費に含まれる項目**

1）労務費に含まれる項目…賃金、給料手当、法定福利費、賞与引当金繰入額、退職給付費用

2）経費に含まれる項目…減価償却費、外注加工費、材料減耗費

期末仕掛品の評価

① **完成度換算法**…製品の製造に投入した金額（期首仕掛品原価および当期総製造費用）を、完成品数量と期末仕掛品数量との比率により按分し、これにより期末仕掛品原価を決定する方法。

1）平均法

$$(\text{期首仕掛品原価}+\text{当期総製造費用})\times\frac{\text{期末仕掛品換算量}}{\text{当期完成品数量}+\text{期末仕掛品換算量}}=\textbf{期末仕掛品評価額}$$

2）先入先出法

$$\text{当期総製造費用}\times\frac{\text{期末仕掛品換算量}}{(\text{当期完成品数量}-\text{期首仕掛品換算量})+\text{期末仕掛品換算量}}=\textbf{期末仕掛品評価額}$$

② **売価還元法**

1）期末仕掛品の評価

期末仕掛品原価＝期末仕掛品売価＊×原価率

＊期末仕掛品売価＝当該仕掛品が製品となった場合の売価×進捗度（完成度合）

2）原価率の算定式

$$\textbf{原価率（売価還元原価率）}=\frac{\text{当期総製造費用}+\text{期首仕掛品原価}+\text{期首製品原価}}{\text{当期製品純売上高}+\text{期末仕掛品売価}+\text{期末製品売価}}$$

攻略のコツ

製造原価報告書（C/R）とP/Lとの関係を理解する。

まとめ

① 製品原価の流れ
材料費・労務費・経費→仕掛品→製品

② 製造業に固有の表示科目
1）棚卸資産の表示科目→製品、半製品、原材料、仕掛品
2）有形固定資産の表示科目→機械装置、工具器具備品
3）売上原価の内訳科目→期首製品棚卸高、当期製品製造原価、期末製品棚卸高

③ 棚卸資産に係る減耗損・評価損
1）B/S表示科目の後に「減耗損」または「評価損」
2）原材料に係る減耗損および品質低下・陳腐化等による評価損で原価性のあるもの→製造原価報告書（C/R）

④ 労務費、経費に含まれる項目
1）労務費→賃金、給料手当、法定福利費、賞与引当金繰入額、退職給付費用
2）経費→減価償却費、外注加工費、材料減耗損

⑤ 期末仕掛品の評価
1）完成度換算法→平均法、先入先出法
2）売価還元法

設　例

＜ケース1＞　平　均　法
＜ケース2＞　先入先出法
〔資料1〕　原価データ
(1)　期首仕掛品原価
　　材料費　　1,500千円
　　加工費　　208千円
(2)　当期総製造費用
　　材料費　　7,200千円
　　加工費　　7,772千円
〔資料2〕　生産データ

期首仕掛品（進捗度20%）	30個
当期投入量	120個
合　　計	150個
期末仕掛品（進捗度50%）	20個
完　成　品	130個

なお、材料は工程始点において投入している。

解　説

（単位：千円）

	＜ケース1＞	＜ケース2＞
材　料　費	1,160	1,200
加　工　費	570	580
合　　計	1,730	1,780

＜ケース１＞

(1)　材料費

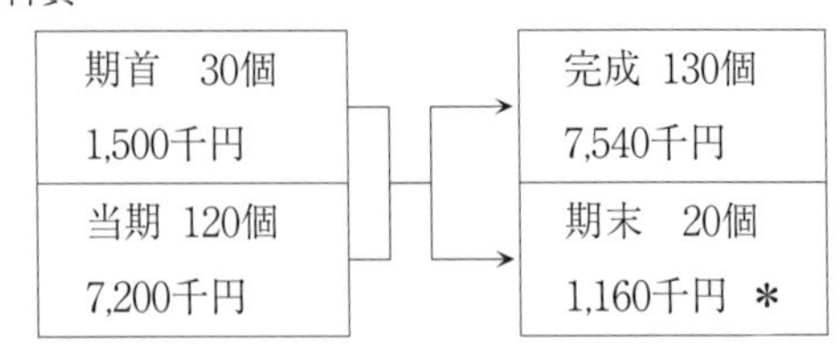

$$＊8{,}700\text{千円} \times \frac{20\text{個}}{150\text{個}} = 1{,}160\text{千円}$$

(2)　加工費

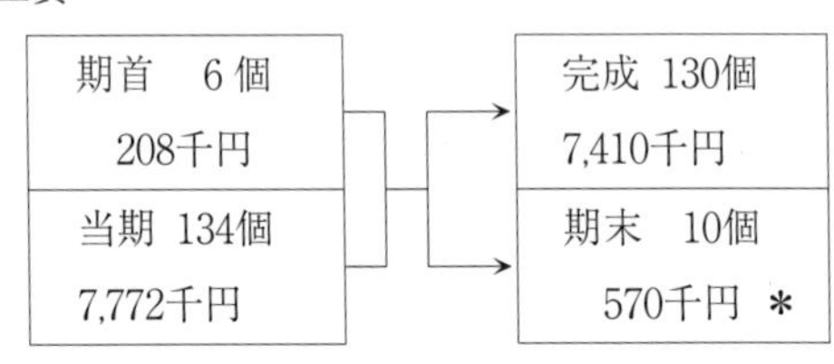

$$＊7{,}980\text{千円} \times \frac{10\text{個}}{140\text{個}} = 570\text{千円}$$

＜ケース２＞

(1)　材料費

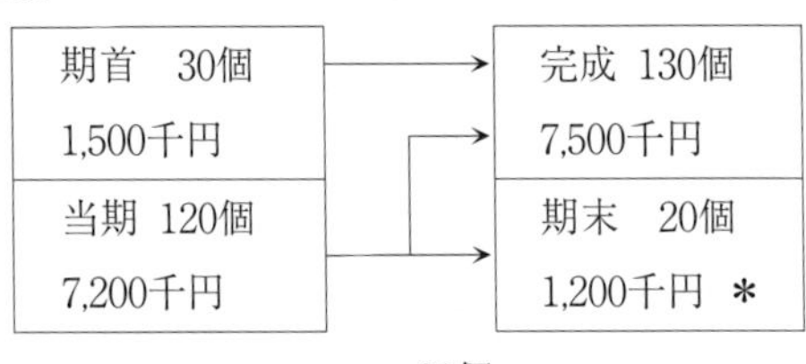

$$＊7{,}200\text{千円} \times \frac{20\text{個}}{120\text{個}} = 1{,}200\text{千円}$$

(2)　加工費

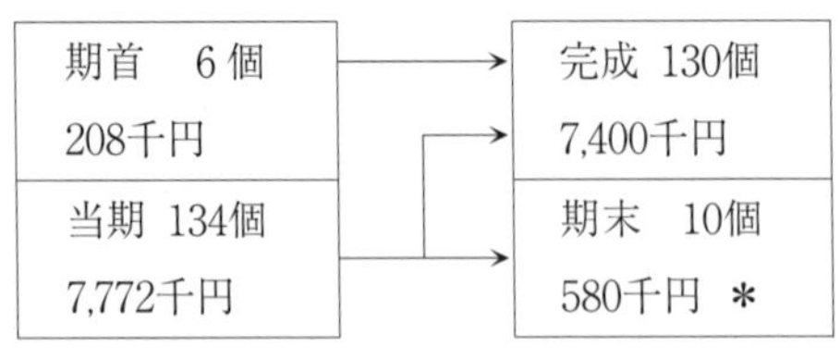

$$＊7{,}772\text{千円} \times \frac{10\text{個}}{134\text{個}} = 580\text{千円}$$

MEMO

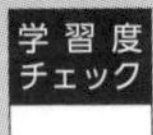

22 会計上の変更等

重要度A ★★★

●学習のポイント●

① 過年度への遡及訂正をした場合の財務諸表
② 会社法における取扱い

会計上の変更等の概要

① **会計上の変更**

会計上の変更とは、「会計方針の変更」、「表示方法の変更」及び「会計上の見積りの変更」をいう。

1）会計方針の変更

会計方針の変更とは、従来採用していた一般に公正妥当と認められた会計方針から他の一般に公正妥当と認められた会計方針に変更することをいう。例えば、棚卸資産の評価方法を総平均法から先入先出法に変更する場合などが該当する。

なお、会計方針とは、財務諸表の作成にあたって採用した会計処理の原則及び手続をいう。

これまで一般に会計方針とは、財務諸表の作成にあたって採用した会計処理の原則及び手続だけでなく、表示方法を含む概念であるとされていた。しかし、「変更基準」においては、会計方針と表示方法とを別々に定義した上で、それぞれについての取扱いを定めている。

2）表示方法の変更

表示方法の変更とは、従来採用していた一般に公正妥当と認められた表示方法から他の一般に公正妥当と認められた表示方法に変更することをいう。例えば、従来「その他」に含めていた科目の金額的重要性が増したため、独立掲記する場合などが該当する。

なお、表示方法とは、財務諸表の作成にあたって採用した表示の方法（注記による開示も含む。）をいい、財務諸表の科目分類、科目配列及び報告様式が含まれる。

3）会計上の見積りの変更

会計上の見積りの変更とは、新たに入手可能となった情報に基づいて、過去に財務諸表を作成する際に行った会計上の見積りを変更することをいう。例えば、有形固定資産の減価償却を行う際の耐用年数の短縮などが該当する。

なお、会計上の見積りとは、資産及び負債や収益及び費用等の額に不確実性がある場合において、財務諸表作成時に入手可能な情報に基づいて、その合理的な金額を算出することをいう。

② 過去の誤謬

誤謬とは、原因となる行為が意図的であるか否かにかかわらず、財務諸表作成時に入手可能な情報を使用しなかったことによる、又はこれを誤用したことによる、次のような誤りをいう。

1）財務諸表の基礎となるデータの収集又は処理上の誤り

2）事実の見落としや誤解から生じる会計上の見積りの誤り

3）会計方針の適用の誤り又は表示方法の誤り

③ 会計上の変更等の取扱いの概要

「変更基準」における、「会計上の変更」及び「過去の誤謬」にかかる取扱いは以下のようになる。

分類		原則的な会計上の取扱い
会計上の変更	会計方針の変更	遡及処理する（遡及適用）
	表示方法の変更	遡及処理する（財務諸表の組替え）
	会計上の見積りの変更	遡及処理しない
過去の誤謬		遡及処理する（修正再表示）

1）遡及処理

遡及処理とは、「遡及適用」、「財務諸表の組替え」又は「修正再表示」により、過去の財務諸表を遡及的に処理することをいう。

2）遡及適用

遡及適用とは、新たな会計方針を過去の財務諸表に遡って適用していたかのように会計処理することをいう。

3）財務諸表の組替え

財務諸表の組替えとは、新たな表示方法を過去の財務諸表に遡って適用していたかのように表示を変更することをいう。

4）修正再表示

修正再表示とは、過去の財務諸表における誤謬の訂正を財務諸表に反映することをいう。

会計方針の変更の取扱い

新たな会計方針を遡及適用する場合には、次の処理を行う。

1）表示期間（当期の財務諸表及びこれに併せて過去の財務諸表が表示されている場合の、その表示期間をいう。以下同じ。）より前の期間に関する遡及適用による累積的影響額は、表示する財務諸表のうち、最も古い期間の期首の資産、負債及び純資産の額に反映する。

2）表示する過去の各期間の財務諸表には、当該各期間の影響額を反映する。

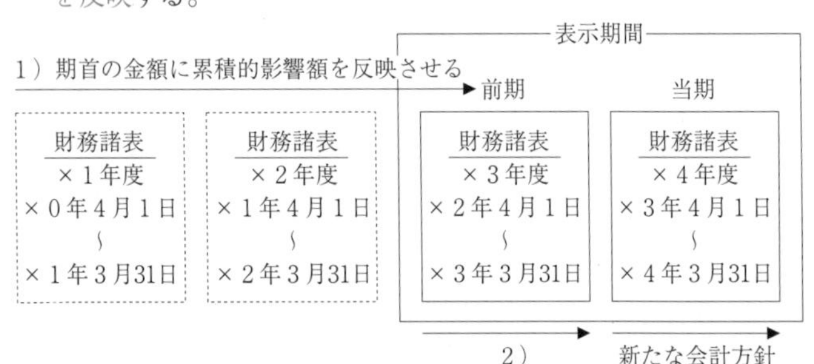

なお、表示期間とは、当期の財務諸表及びこれに併せて過去の財務諸表が表示されている場合のその期間をいい、各開示制度に従うことになる。金融商品取引法においては2期間の財務諸表を開示するため、表示期間は2期間（前期及び当期）である。これに対して会社法においては1期間の計算書類を開示するため、表示期間は1期間（当期）である。

ここでは、金融商品取引法における流通市場に対する開示制度を前提として、2期間の財務諸表の遡及適用を確認した上で、あわせて会社法における取扱いも確認する。

設 例

下記の資料に基づいて、当期（×3年4月1日から×4年3月31日まで）における遡及処理後の財務諸表（一部抜粋）を作成しなさい。なお、財務諸表については、当期及び前期の2期分の開示が求められており、税効果会計については考慮しないものとする。

(1) 当社は当期より、通常の販売目的で保有する棚卸資産の評価方法を総平均法から先入先出法に変更した。前期の当該棚卸資産の増減について、先入先出法を遡及適用した場合の金額と従来の方法である総平均法の金額は次のとおりである。なお、収益性の低下に基づく簿価切下げは考慮外とする。

（単位：千円）

	期首残高	仕 入 高	売上原価	期末残高
総平均法(従来の方法)	7,000	317,500	304,500	20,000
先入先出法(遡及適用)	10,000	317,500	302,500	25,000

(2) 前期における遡及処理前の財務諸表（一部抜粋）は、次のとおりである。

（単位：千円）

貸 借 対 照 表	×2年3月31日	×3年3月31日
商品	7,000	20,000
繰越利益剰余金	25,000	28,600

（単位：千円）

損 益 計 算 書	×2年3月31日	×3年3月31日
売上高	×××	310,500
商品期首棚卸高	×××	7,000
当期商品仕入高	×××	317,500
商品期末棚卸高	7,000	20,000
法人税、住民税及び事業税	×××	2,400
当期純利益	×××	3,600

（単位：千円）

株主資本等変動計算書	×2年3月31日	×3年3月31日
繰越利益剰余金		
当期首残高	×××	25,000
当期変動額		
当期純利益	×××	3,600
当期末残高	25,000	28,600

解　説　　　　　　　　　　　　　　　　　（仕訳の単位：千円）

(1)　遡及処理後の財務諸表（一部抜粋）

（単位：千円）

貸　借　対　照　表	×３年３月31日	×４年３月31日
商品	25,000	×××
繰越利益剰余金	33,600	×××

（単位：千円）

損　益　計　算　書	×３年３月31日	×４年３月31日
売上高	310,500	×××
商品期首棚卸高	10,000	25,000
当期商品仕入高	317,500	×××
商品期末棚卸高	25,000	×××
法人税、住民税及び事業税	2,400	×××
当期純利益	5,600	×××

（単位：千円）

株主資本等変動計算書	×３年３月31日	×４年３月31日
繰越利益剰余金		
当期首残高	25,000	33,600
会計方針の変更による累積的影響額	3,000	——
遡及処理後当期首残高	28,000	×××
当期変動額		
当期純利益	5,600	×××
当期末残高	33,600	×××

＜前期における財務諸表の修正のイメージ（組替仕訳）＞

①　期首残高の評価額に関する修正

商品	3,000	会計方針の変更による累積的影響額 ＜繰越利益剰余金＞	3,000

②　期首残高と売上原価の調整に関する修正

商品期首棚卸高 ＜売上原価＞	3,000	商品	3,000

③　期末残高と売上原価の調整に関する修正

商品	5,000	商品期末棚卸高 ＜売上原価＞	5,000

(2)　当期における会社法上（帳簿上）の処理（遡及処理に関する仕訳）

商品	5,000	繰越利益剰余金	5,000

設 例

下記の資料に基づいて、当期（×3年4月1日から×4年3月31日まで）における遡及処理後の財務諸表（一部抜粋）を作成しなさい。なお、財務諸表については、当期及び前期の2期分の開示が求められている。会計方針の変更による遡及適用については、税効果会計を適用することとし、法定実効税率は、40%とする。

(1) 当社は当期より、通常の販売目的で保有する棚卸資産の評価方法を総平均法から先入先出法に変更した。前期の当該棚卸資産の増減について、先入先出法を遡及適用した場合の金額と従来の方法である総平均法の金額は次のとおりである。なお、収益性の低下に基づく簿価切下げは考慮しない。

（単位：千円）

	期首残高	仕入高	売上原価	期末残高
総平均法(従来の方法)	7,000	317,500	304,500	20,000
先入先出法(遡及適用)	10,000	317,500	302,500	25,000

(2) 前期における遡及処理前の財務諸表（一部抜粋）は、次のとおりである。

（単位：千円）

貸借対照表	×2年3月31日	×3年3月31日
商品	7,000	20,000
繰越利益剰余金	25,000	28,600

（単位：千円）

損益計算書	×2年3月31日	×3年3月31日
売上高	×××	310,500
商品期首棚卸高	×××	7,000
当期商品仕入高	×××	317,500
商品期末棚卸高	7,000	20,000
法人税、住民税及び事業税	×××	2,400
当期純利益	×××	3,600

（単位：千円）

株主資本等変動計算書	×2年3月31日	×3年3月31日
繰越利益剰余金		
当期首残高	×××	25,000
当期変動額		
当期純利益	×××	3,600
当期末残高	25,000	28,600

解　説　　（仕訳の単位：千円）

(1)　遡及処理後の財務諸表（一部抜粋）

（単位：千円）

貸　借　対　照　表	×３年３月31日	×４年３月31日
商品	25,000	×××
繰延税金負債	2,000	×××
繰越利益剰余金	31,600	×××

（単位：千円）

損　益　計　算　書	×３年３月31日	×４年３月31日
売上高	310,500	×××
商品期首棚卸高	10,000	25,000
当期商品仕入高	317,500	×××
商品期末棚卸高	25,000	×××
法人税、住民税及び事業税	2,400	×××
法人税等調整額	800	×××
当期純利益	4,800	×××

（単位：千円）

株主資本等変動計算書	×３年３月31日	×４年３月31日
繰越利益剰余金		
当期首残高	25,000	31,600
会計方針の変更による累積的影響額	1,800	――
遡及処理後当期首残高	26,800	×××
当期変動額		
当期純利益	4,800	×××
当期末残高	31,600	×××

<前期における財務諸表の修正のイメージ（組替仕訳）>

①　期首残高の評価額に関する修正

商　　　品	3,000	繰延税金負債＊1	1,200
		会計方針の変更による累積的影響額＊2	1,800
		<繰越利益剰余金>	

＊1　（10,000千円［遡及後］－7,000千円［遡及前］）×40％＝1,200千円

＊2　（10,000千円［遡及後］－7,000千円［遡及前］）－1,200千円＝1,800千円

② 期首残高と売上原価の調整に関する修正

商品期首棚卸高 <売上原価>	3,000	商品	3,000

③ 期末残高と売上原価の調整に関する修正

商品	5,000	商品期末棚卸高 <売上原価>	5,000

④ 売上原価の調整に関する税効果会計の適用

法人税等調整額	800	繰延税金負債*	800

* （5,000千円－3,000千円）×40％＝800千円

(2) 当期における会社法上（帳簿上）の処理（遡及処理に関する仕訳）

商品	5,000	繰延税金負債	2,000
		繰越利益剰余金	3,000

表示方法の変更の取扱い

① 表示方法の変更の分類

表示方法は、次のいずれかの場合を除き、毎期継続して適用する。

1）表示方法を定めた会計基準又は法令等の改正により表示方法の変更を行う場合

2）会計事象等を財務諸表により適切に反映するために表示方法の変更を行う場合

② 表示方法の変更に関する原則的な取扱い

財務諸表の表示方法を変更した場合には、原則として表示する過去の財務諸表について、新たな表示方法に従い財務諸表の組替えを行う。

設例

下記の資料に基づいて、当期（×3年4月1日から×4年3月31日まで）における遡及処理後の財務諸表（一部抜粋）を作成しなさい。なお、財務諸表については、当期及び前期の2期分の開示が求められている。

(1) 当社は従来、投資その他の資産の「その他」に含めていた「長期預金」の金額的重要性が増したため、これを独立掲記する表示方法の変更を行った。なお、前期の貸借対照表における投資その他の資産の「その他」には長期預金2,000千円が含まれていた。

(2) 前期における遡及処理前の財務諸表（一部抜粋）は、次のとおりである。

（単位：千円）

貸　借　対　照　表	×2年3月31日	×3年3月31日
資産の部		
固定資産		
投資その他の資産		
その他	×××	50,000

解説

当期における遡及処理後の財務諸表（一部抜粋）

（単位：千円）

貸　借　対　照　表	×3年3月31日	×4年3月31日
資産の部		
固定資産		
投資その他の資産		
長期預金	2,000	×××
その他	48,000	×××

会計上の見積りの変更の取扱い

会計上の見積りの変更に関する原則的な取扱い

その変更が変更期間のみに影響する場合には、その変更期間に会計処理を行い、その変更が将来の期間にも影響する場合には、将来にわたり会計処理を行う。

なお、有形固定資産等の減価償却方法及び無形固定資産の償却方法は、会計方針に該当するが、その変更については、会計上の見積りの変更と同様に取扱い、遡及適用は行わない。

設　例

下記の資料に基づいて、当期の仕訳を示しなさい。

当社は当期（×3年4月1日～×4年3月31日）の期首において、保有する備品の耐用年数について、新たに得られた情報に基づき、従来の10年を6年に見直す会計上の見積りの変更を行った。

なお、備品は×1年4月1日に800,000千円で取得したものであり、残存価額をゼロとして定額法で減価償却しており、当期首における減価償却累計額は160,000千円である。

解　説　　（仕訳の単位：千円）

減価償却費＊160,000／減価償却累計額　160,000

$$＊\ (800{,}000千円 - 160{,}000千円) \times \frac{1年}{6年 - 2年}$$

＝160,000千円

設　例

> 下記の資料に基づいて、当期の仕訳を示しなさい。
> 当社は当期（×3年4月1日～×4年3月31日）の期首において、保有する備品の減価償却方法について、従来の定率法から定額法に変更する会計方針の変更を行った。
> なお、備品は×1年4月1日に800,000千円で取得したものであり、残存価額をゼロとして耐用年数10年による定率法（償却率0.250）で減価償却しており、当期首における減価償却累計額は350,000千円である。

解　説

（仕訳の単位：千円）

借方	金額	貸方	金額
減価償却費＊	56,250	減価償却累計額	56,250

＊　$(800{,}000\text{千円} - 350{,}000\text{千円}) \times \dfrac{1\text{年}}{10\text{年} - 2\text{年}}$

　　＝56,250千円

（注）有形固定資産等の減価償却方法は会計方針に該当するが、その変更については会計上の見積りの変更と同様に取り扱い、遡及適用は行わない。

設　例

> 下記の資料に基づいて、当期の仕訳を示しなさい。
> 前期末における売掛金1,000千円（一般債権に区分）が当期に回収不能となった。前期末に一般債権に対して設定した貸倒引当金は900千円である。
> なお、当該貸倒引当金は前期末の財務諸表作成時において入手可能な情報に基づき最善の見積りを行っている。不足額は当期における状況の変化によるものであり、会計上の見積りの変更に該当する。

解　説

（仕訳の単位：千円）

借方	金額	貸方	金額
貸倒引当金	900	売掛金	1,000
貸倒損失 <販売費及び一般管理費>	100		

設 例

下記の資料に基づいて、当期の仕訳を示しなさい。
前期に貸倒処理した売掛金25,000千円のうち、5,000千円については当期に現金で回収することができた。なお、当該償却済債権の回収は当期における状況の変化によるものであり、会計上の見積りの変更に該当する。なお、当該回収に係る損益は営業外収益の区分に表示する。

解 説

（仕訳の単位：千円）

借方	金額	貸方	金額
現金及び預金	5,000	償却債権取立益 <営業外収益>	5,000

設 例

下記の資料に基づいて、当期の仕訳を示しなさい。
当期末において、期末売掛金40,000千円に対して２％の貸倒引当金を設定する。決算整理前残高試算表の貸倒引当金残高は1,000千円であった。貸倒引当金の繰入額と戻入額は相殺して純額で表示するものとし、戻入額が繰入額を超過する部分については当期における状況の変化によるものであり、会計上の見積りの変更に該当する。なお、これに係る損益は営業外収益の区分に表示する。

解 説

（仕訳の単位：千円）

借方	金額	貸方	金額
貸倒引当金	1,000	貸倒引当金戻入額	1,000
貸倒引当金繰入額＊	800	貸倒引当金	800

＊ 40,000千円×２％＝800千円
損益計算書上の表示（営業外収益の区分に表示する。）
1,000千円（戻入額）－800千円（繰入額）＝200千円（戻入額）

過去の誤謬の取扱い

① 過去の誤謬に関する取扱い

過去の財務諸表における誤謬が発見された場合には、修正再表示する。

② 修正再表示

過去の財務諸表における誤謬が発見された場合には、次の方法により修正再表示する。

1）表示期間より前の期間に関する修正再表示による累積的影響額は、表示する財務諸表のうち、最も古い期間の期首の資産、負債及び純資産の額に反映する。

2）表示する過去の各期間の財務諸表には、当該各期間の影響額を反映する。

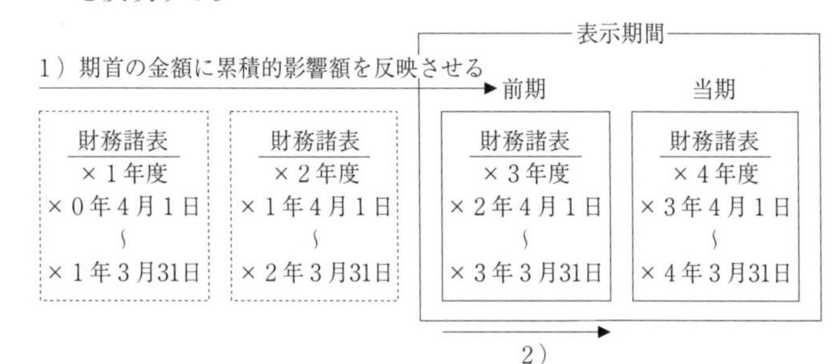

設 例

下記の資料に基づいて、当期（×３年４月１日から×４年３月31日まで）における遡及処理後の財務諸表（一部抜粋）を作成しなさい。なお、財務諸表については、当期及び前期の２期分の開示が求められており、税効果会計については考慮しないものとする。

⑴　当期の財務諸表を作成する過程で、前期の財務諸表について誤謬が発見された。当該誤謬の内容は、当社が前期に外部に販売した商品2,500千円を誤って商品残高として計上し、その結果、売上原価が同額過小に計上されているというものであった。なお、当社は当該誤謬について、当期の報告の中で訂正を行う。

⑵　前期における遡及処理前の財務諸表（一部抜粋）は、次のとおりである。

（単位：千円）

貸借対照表	×２年３月31日	×３年３月31日
商品	7,000	20,000
繰越利益剰余金	25,000	28,600

（単位：千円）

損益計算書	×２年３月31日	×３年３月31日
売上高	×××	310,500
商品期首棚卸高	×××	7,000
当期商品仕入高	×××	317,500
商品期末棚卸高	7,000	20,000
法人税、住民税及び事業税	×××	2,400
当期純利益	×××	3,600

（単位：千円）

株主資本等変動計算書	×２年３月31日	×３年３月31日
繰越利益剰余金		
当期首残高	×××	25,000
当期変動額		
当期純利益	×××	3,600
当期末残高	25,000	28,600

解　説　　(仕訳の単位：千円)

(1)　遡及処理後の財務諸表（一部抜粋）

(単位：千円)

貸　借　対　照　表	×３年３月31日	×４年３月31日
商品	17,500	×××
繰越利益剰余金	26,100	×××

(単位：千円)

損　益　計　算　書	×３年３月31日	×４年３月31日
売上高	310,500	×××
商品期首棚卸高	7,000	17,500
当期商品仕入高	317,500	×××
商品期末棚卸高	17,500	×××
法人税、住民税及び事業税	2,400	×××
当期純利益	1,100	×××

(単位：千円)

株主資本等変動計算書	×３年３月31日	×４年３月31日
繰越利益剰余金		
当期首残高	25,000	26,100
当期変動額		
当期純利益	1,100	×××
当期末残高	26,100	×××

＜前期における財務諸表の修正のイメージ（組替仕訳）＞

商品期末棚卸高　2,500／商　　　　品　2,500
＜売上原価＞

(2)　当期における会社法上（帳簿上）の処理（遡及処理に関する仕訳）

繰越利益剰余金　2,500／商　　　　品　2,500

MEMO

索　引

〔理論編〕

〔計算編〕

MEMO

MEMO

税理士受験シリーズ

2025年度版　財務諸表論　完全無欠の総まとめ

（平成12年度版　1999年12月20日　初版 第1刷発行）

2024年11月22日　初版　第1刷発行

編著者　TAC株式会社（税理士講座）
発行者　多田敏男
発行所　TAC株式会社　出版事業部（TAC出版）
〒101-8383
東京都千代田区神田三崎町3-2-18
電話 03(5276)9492（営業）
FAX 03(5276)9674
https://shuppan.tac-school.co.jp
印刷　株式会社ワコー
製本　株式会社常川製本

ISBN 978-4-300-11348-6
N.D.C. 336

乱丁・落丁による交換，および正誤のお問合せ対応は，該当書籍の改訂版刊行月末日までといたします。なお，交換につきましては，書籍の在庫状況等により，お受けできない場合もございます。
また，各種本試験の実施の延期，中止を理由とした本書の返品はお受けいたしません。返金もいたしかねますので，あらかじめご了承くださいますようお願い申し上げます。

「税理士」の扉を開くカギ

それは、合格できる教育機関を決めること!

あなたが教育機関を決める最大の決め手は何ですか?
通いやすさ、受講料、評判、規模、いろいろと検討事項はありますが、一番の決め手となること、それは「合格できるか」です。
TACは、税理士講座開講以来今日までの40年以上、「受講生を合格に導く」ことを常に考え続けてきました。そして、「最小の努力で最大の効果を発揮する、良質なコンテンツの提供」をもって多数の合格者を輩出し、今も厚い信頼と支持をいただいております。

合格者から「喜びの声」を多数お寄せいただいています。

https://www.tac-school.co.jp/kouza_zeiri/zeiri_jisseki.html

2025年合格目標コース

反復学習でインプット強化！ ＆ 豊富な演習量で実践力強化！

対象者：初学者／次の科目の学習に進む方

2024年9月〜2025年8月

- **9月入学 基礎マスター＋上級コース**（簿記・財表・相続・消費・酒税・固定・事業・国徴）
  3回転学習！年内はインプットを強化、年明けは演習機会を増やして実践力を鍛える！
  ※簿記・財表は5月・7月・8月・10月入学コースもご用意しています。
- **9月入学 ベーシックコース（法人・所得）**
  2回転学習！週2ペース、8ヵ月かけてインプットを鍛える！
- **9月入学 年内完結＋上級コース（法人・所得）**
  3回転学習！年内はインプットを強化、年明けは演習機会を増やして実践力を鍛える！
- **12月・1月入学　速修コース（全11科目）**
  7ヵ月〜8ヵ月間で合格レベルまで仕上げる！
- **3月入学　速修コース（消費・酒税・固定・国徴）**
  短期集中で税法合格を目指す！

8月：税理士試験

対象者：受験経験者（受験した科目を再度学習する場合）

2024年9月〜2025年8月

- **9月入学　年内上級講義＋上級コース（簿記・財表）**
  年内に基礎・応用項目の再確認を行い、実力を引き上げる！
- **9月入学　年内上級演習＋上級コース（法人・所得・相続・消費）**
  年内から問題演習に取り組み、本試験時の実力維持・向上を図る！
- **12月入学　上級コース（全10科目）**
  ※住民税の開講はございません
  講義と演習を交互に実施し、答案作成力を養成！

8月：税理士試験

※2024年7月12日時点の情報です。最新の情報は、TAC税理士講座ホームページをご確認ください。

“入学前サポート”を活用しよう!

無料セミナー&個別受講相談

無料セミナーでは、税理士の魅力、試験制度、科目選択の方法や合格のポイントをお伝えしていきます。セミナー終了後は、個別受講相談でみなさんの疑問や不安を解消します。

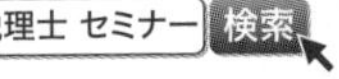

https://www.tac-school.co.jp/kouza_zeiri/zeiri_gd_gd.htm

無料Webセミナー

TAC動画チャンネルでは、校舎で開催しているセミナーのほか、Web限定のセミナーも多数配信しています。受講前にご活用ください。

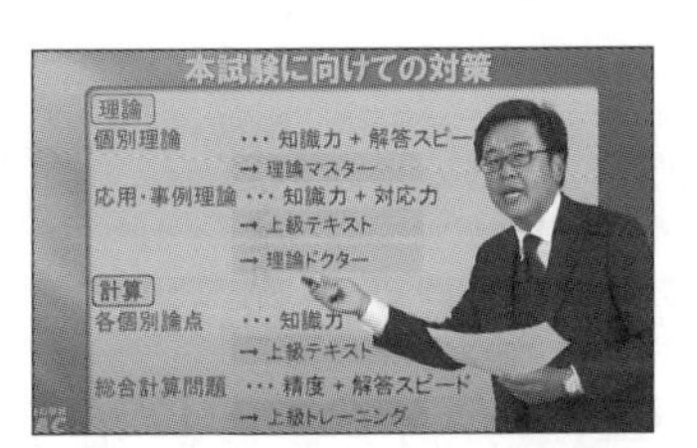

https://www.tac-school.co.jp/kouza_zeiri/tacchannel.html

体験入学

教室講座開講日（初回講義）は、お申込み前でも無料で講義を体験できます。講師の熱意や校舎の雰囲気を是非体感してください。

TAC 税理士 体験 検索

税理士11科目Web体験

「税理士11科目Web体験」では、TAC税理士講座で開講する各科目・コースの初回講義をWeb視聴いただけるサービスです。講義の分かりやすさを確認いただき、学習のイメージを膨らませてください。

TAC 税理士 検索

https://www.tac-school.co.jp/kouza_zeiri/taiken_form.html

会計業界への就職・転職支援サービス

TACの100%出資子会社であるTACプロフェッションバンク（TPB）は、会計・税務分野に特化した転職エージェントです。
勉強された知識とご希望に合ったお仕事を一緒に探しませんか？ 相談だけでも大歓迎です！ どうぞお気軽にご利用ください。

人材コンサルタントが無料でサポート

Step1 相談受付 完全予約制です。HPからご登録いただくか、各オフィスまでお電話ください。

Step2 面談 ご経験やご希望をお聞かせください。あなたの将来について一緒に考えましょう。

Step3 情報提供 ご希望に適うお仕事があれば、その場でご紹介します。強制はいたしませんのでご安心ください。

正社員で働く

- 安定した収入を得たい
- キャリアプランについて相談したい
- 面接日程や入社時期などの調整をしてほしい
- 今就職すべきか、勉強を優先すべきか迷っている
- 職場の雰囲気など、求人票でわからない情報がほしい

TACキャリアエージェント

https://tacnavi.com/

派遣で働く（関東のみ）

- 勉強を優先して働きたい
- 将来のために実務経験を積んでおきたい
- まずは色々な職場や職種を経験したい
- 家庭との両立を第一に考えたい
- 就業環境を確認してから正社員で働きたい

TACの経理・会計派遣

https://tacnavi.com/haken/

※ご経験やご希望内容によってはご支援が難しい場合がございます。予めご了承ください。　※面談時間は原則お一人様30分とさせていただきます。

自分のペースでじっくりチョイス

正社員で働く／アルバイトで働く

- 自分の好きなタイミングで就職活動をしたい
- どんな求人案件があるのか見たい
- 企業からのスカウトを待ちたい
- WEB上で応募管理をしたい

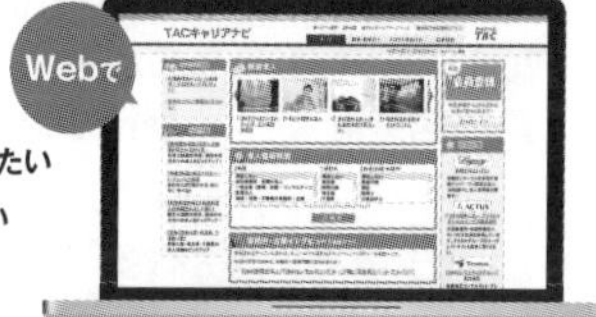

TACキャリアナビ

https://tacnavi.com/kyujin/

就職・転職・派遣就労の強制は一切いたしません。会計業界への就職・転職を希望される方への無料支援サービスです。どうぞお気軽にお問い合わせください。

TACプロフェッションバンク

■有料職業紹介事業 許可番号13-ユ-010678
■一般労働者派遣事業 許可番号（派）13-010932
■特定募集情報等提供事業 届出受理番号51-募-000541

東京オフィス	大阪オフィス	名古屋 登録会場
〒101-0051	〒530-0013	〒453-0014
東京都千代田区神田神保町 1-103 東京パークタワー 2F	大阪府大阪市北区茶屋町 6-20 吉田茶屋町ビル 5F	愛知県名古屋市中村区則武 1-1-7 NEWNO 名古屋駅西 8F
TEL.03-3518-6775	TEL.06-6371-5851	TEL.0120-757-655

書籍の正誤に関するご確認とお問合せについて

書籍の記載内容に誤りではないかと思われる箇所がございましたら、以下の手順にてご確認とお問合せをしてくださいますよう、お願い申し上げます。
なお、正誤のお問合せ以外の**書籍内容に関する解説および受験指導などは、一切行っておりません。**
そのようなお問合せにつきましては、お答えいたしかねますので、あらかじめご了承ください。

1 「Cyber Book Store」にて正誤表を確認する

TAC出版書籍販売サイト「Cyber Book Store」の
トップページ内「正誤表」コーナーにて、正誤表をご確認ください。

CYBER TAC出版書籍販売サイト
BOOK STORE

URL:https://bookstore.tac-school.co.jp/

2 1の正誤表がない、あるいは正誤表に該当箇所の記載がない ⇒ 下記①、②のどちらかの方法で文書にて問合せをする

★ご注意ください★

お電話でのお問合せは、お受けいたしません。
①、②のどちらの方法でも、お問合せの際には、「お名前」とともに、
「対象の書籍名(○級・第○回対策も含む)およびその版数(第○版・○○年度版など)」
「お問合せ該当箇所の頁数と行数」
「誤りと思われる記載」
「正しいとお考えになる記載とその根拠」
を明記してください。
なお、回答までに1週間前後を要する場合もございます。あらかじめご了承ください。

① ウェブページ「Cyber Book Store」内の「お問合せフォーム」より問合せをする

【お問合せフォームアドレス】

https://bookstore.tac-school.co.jp/inquiry/

② メールにより問合せをする

【メール宛先 TAC出版】

syuppan-h@tac-school.co.jp

※土日祝日はお問合せ対応をおこなっておりません。
※正誤のお問合せ対応は、該当書籍の改訂版刊行月末日までといたします。

乱丁・落丁による交換は、該当書籍の改訂版刊行月末日までといたします。なお、書籍の在庫状況等により、お受けできない場合もございます。
また、各種本試験の実施の延期、中止を理由とした本書の返品はお受けいたしません。返金もいたしかねますので、あらかじめご了承くださいますようお願い申し上げます。

TACにおける個人情報の取り扱いについて
■お預かりした個人情報は、TAC(株)で管理させていただき、お問合せへの対応、当社の記録保管にのみ利用いたします。お客様の同意なしに業務委託先以外の第三者に開示、提供することはございません(法令等により開示を求められた場合を除く)。その他、個人情報保護管理者、お預かりした個人情報の開示等及びTAC(株)への個人情報の提供の任意性については、当社ホームページ(https://www.tac-school.co.jp)をご覧いただくか、個人情報に関するお問い合わせ窓口(E-mail:privacy@tac-school.co.jp)までお問合せください。

(2022年7月現在)